D0832883

Olivier Rolin
ve arkadaşları

ODALAR

Olivier Rolin ve arkadaşları
ODALAR

ANLATI

Fransızca aslından çeviren
ORÇUN TÜRKAY

CAN YAYINLARI

OLIVIER ROLIN'İN
CAN YAYINLARI'NDAKİ
DİĞER KİTABI

SIRÇA OTEL'DE BİR ODA / *roman*

Olivier Rolin, 17 Mayıs 1947'de Boulogne-Billancourt'da dünyaya geldi. Çocukluğu Senegal'de geçti. Felsefe ve edebiyat eğitimi gördü. Fransa'daki 1968 olayları sırasında, aşırı sol kanadın önderlerinden olan yazar, bir dönem gazetecilik ve editörlük yaptı. *Libération* ve *Le Nouvel Observateur* gibi gazetelerde yazı ve röportajları yayımlanmaya devam eden yazar, *Port-Sudan* adlı eseriyle 1994'te Femina Ödülü'nü aldı. Çağdaş Fransız edebiyatının önde gelen güçlü kalemlerinden biri olan yazar roman, gezi güncesi, deneme ve anlatı türlerinde eserler vermeye devam ediyor.

Orçun Türkay, 1976'da İstanbul'da doğdu. Saint Joseph Lisesi ve İÜ Fransız Dili ve Edebiyatı Bölümü'nü bitirdi. Çeşitli yayınevlerine, kuruluşlara çevirmenlik ve editörlük yapıyor. Duras, Michaux, Bonnefoy, Lévi-Strauss, Starobinski gibi yazarlardan metinler çevirdi. Ayrıca genel kültür dizilerinde de çevirileri bulunuyor.

Can Yayınları: 1829

Rooms, Olivier Rolin

Maurice Olender'in yönetimindeki *XXI. Yüzyıl Kitaplığı* dizisi.

1. basım: Ağustos 2009
Bu kitabın 1. baskısı 1000 adet yapılmıştır.

Yayına hazırlayan: Ayça Sezen

Kapak tasarımı: Erkal Yavi
Kapak düzeni: Semih Özcan
Dizgi: Gelengül Çakır
Düzelti: Füsun Güler

Kapak baskı: Çetin Ofset
İç baskı ve cilt: Eko Matbaası

ISBN 978-975-07-1082-7

CAN SANAT YAYINLARI
YAPIM, DAĞITIM, TİCARET VE SANAYİ LTD. ŞTİ.
Hayriye Caddesi No. 2, 34430 Galatasaray, İstanbul
Telefon: (0212) 252 56 75 - 252 59 88 - 252 59 89 Fax: 252 72 33
http://www.canyayinlari.com
e-posta: yayinevi@canyayinlari.com

İçindekiler

Yayıncının notu: Kitapta, editörün notu olarak belirtilmiş dipnotlar Fransız yayıncının, yazarın notu olarak belirtilmiş olanlar ise öykünün yazarının notlarıdır.

Dostlara yaraşır bir kervansaray

Kurnazlık edip az sonra okuyacağınız anlatıları sahneye koymak için kaçık bir öykü yaratmayı düşündüm. *Sırça Otel'de Bir Oda*'da, Michèle Deguy'nin[1] "bavul tecellisi" olarak adlandırdığı şeyi kullanmıştım, neden yine yapmayayım ki? Gülünç yineleme. Derken, bir bavul belirdi ve şöyle bir şey çıktı ortaya:

> *Paris'te Saint-Germain Bulvarı'ndaki Vagenende Lokantası'nın (1904'te kurulmuş, tarihsel anıtlar ek listesine girmiştir) gediklilerinin, mekânın eskiliğini yansıtan başka nesneler arasında (geniş ağızlı gramofon, mekanik piyano, opalin abajurlu avize vb.), üstünde silindir bir şapka bulunan, kendisi de bakır bir yük arabasının üstünde duran, pas rengi, bakır fermuarlı bir bavula gözleri takılmıştı birçok kez. Ama onu fark edenler arasında bile hiç kimse XXI. yüzyılın hemen başında yazın yaşamının acayip bir tanıklığını içerdiğini düşünmemişti. İstisnalar kaideyi bozmaz, ama yazın bilgimizi zenginleştiren bir keşfi polise borçluyuz. Aslında, müessesenin kuruluşunun yüz yirminci yılı eğlenceleri ve özellikle sanat, medya ve siyaset dünyalarından birçok kişinin katılacağı gala yemeği dolayısıyla, güvenlik güçleri mekânda arama yapma-*

---

[1] *Numarası bilinmeyen oda, Tivoli Oteli, Lizbon*; Michel Deguy'den söz edildiği düşünülüyor. Peki ama neden adı kadınsılaştırılmış? Alain Veinstein'ın metninde oda hizmetçisi bir kadının anlatıcıya verdiği oldukça gizemli emre uymak için mi? (O.R.)

ya karar verdi. Açılan bavul sırrını ortaya döktü: bir yığın eski kâğıt.

Tahmin edileceği üzere, *Odalar*'ı oluşturan metinlerdi bunlar. Belki bunun ardından DST[1] ya da başka bir teşkilat, Jean-Philippe Toussaint'in, Patrick Deville'in, Jean-Baptiste Harang'ın vb. anlatılarının akla getirdiği gizli ve fesat kumkuması eylemler üstüne düşünmeye başlayacak; belki öyküler arasındaki ortak noktalardan, çok hafif farklılıklarla yinelenen konulardan, Antoine Volodine'deki fildişi, Jean Rolin'deki gergedan boynuzu kaçakçılığından, Jean Échenoz'la Jorge Semprun'ün metinlerinin son bölümlerindeki dalga sesinden, Pierre Michon'la Alain Veinstein'ın banyolarındaki kandan, gizli işaretler gibi yinelenen adlardan, Gramercy'den, Veronese'den, Odysseus ya da Chateaubriand figüründen işkillenecek; belki şifreli bir dil kullanıldığından kuşkulanacaktı, belki de...

Ama hayır, sonuçta bu münasebetsizlikler, dolaplar işe yaramazdı. İlk kez yalın olmak istiyordum. Bu tuhaf kitabın amacını söylemekti tek niyetim. Kendimi bu bölümü yazmaya başka nedenlerden ötürü zorunlu hissetmeseydim de, Emmanuel Carrère'in anlatısının yaman yetingenliği bana bunu dayatırdı: Ara nağme yok. Dolayısıyla işte buyurun. *Sırça Otel'de Bir Oda* yayımlandıktan sonra[2], Jorge Semprun, Maurice Olender'in "XXI. Yüzyıl Kitaplığı" yazarları için Latin Amerika Evi'nde düzenlediği şu toplantılardan birinde yanıma gelip kitapla ilgili konuşma onurunu bahşetti bana. "Onur" derken, öyle resmiyetten söylemiyorum bunu. Jorge Semprun hayran olduğum kişilerden biridir. Ders kitaplarında söylendiği gibi, yaşamına da yapıtına da hayranım. Ailemde çok eskilere dayanıyor bu

[1] *Direction de la surveillance du territoire*, Fransız istihbarat örgütü. (Ç.N.)
[2] Michèle Deguy'nin anımsattığı olağanüstü başarıyla... (O.R.)

düşkünlük: *Büyük Yolculuk* annemin çok önem verdiği bir kitaptı (haklıydı da). *Sırça Otel'de Bir Oda* ise dünyanın dört bir yanındaki, titizlikle (ve hatta manyakça) betimlenmiş otel odalarında meydana gelen, az ya da çok akıldışı öykülerden oluşuyor. "Arkadaşlarının hepsi," dedi toplantıdan sonra, "bir otel odası öyküsü yazabilirdi. Örneğin, ben Madrid'de bir otelde, Federico Sanchez'le buluşabilirdim." Maurice Olender sağır değil, belleği de kusursuz. İşte bir buçuk yıl sonra, bir şakanın sonucu karşınızda. *Sırça Otel'de Bir Oda (devamı)* aslında.

Bu yirmi sekiz oda[1] dostlara yaraşır bir kervansaray oluşturuyor - ne fazlası, ne eksiği. Derlemeye Max Ernst'in 1922 tarihli, gerçeküstücü grup üyelerinin resmedildiği bir tablosunun adı da verilebilirdi: "Dostlarla Buluşma": Ne var ki bu sayfalarda bir araya gelenler bir grup değil, hele "avangard" bir akımla hiç ilgileri yok, bir arkadaş grubu bile değiller. *Odalar*'ın hiçbir iddiası yok, *Odalar* bir akımın manifestosu değil kesinlikle, saygıdan biraz öte bir şeylerin birbirine bağladığı yazarlar (özellikle romancılar, ama sadece romancılar değil) arasında oynanan bir oyun sadece. Peki ne öyleyse? Herkes, maddiliğe, dünyadaki çeşitliliğe doymak bilmez bir merak besleyenler bile, sanırım, bir kitap yazmasını sağlayacak ünlü bir özdeyişi benimsemeye hazırdır. Üstelik burada birbirlerini yankılayan yazarlardan hiçbiri dünkü çocuk değil, eskilerin anılarını saklıyorlar içlerinde. Her biri, Biarritz uçağındaki Barthes gibi[2], Pascal'i (Flaubert'i, Rabelais'yi, Beckett'i, Perec'i ya da Claude Simon'u...) yanında hissedebilir, her biri "o eski sözcüklerin (örneğin insanın Sefaleti,

---

[1] Yirmi sekiz artı bir; biraz dolambaçlı yollardan, adsız ve tamamlanmamış olarak elimize geçen ve bu derlemenin sonunda ayrı yayımlanan bir metin daha var. (O.R.)

[2] *Romanın Hazırlanışı*, Collège de France Dersleri ve Seminerleri, Sel Yayıncılık, çev. Mehmet Rifat, Sema Rifat. (Ç.N.)

Şehvet vb.) şimdiki olayları eksiksiz biçimde yansıttığını" düşünebilirdi: Bir öykü konusunda, çağdaşlık düşüncesiyle geçmişe olan borcun kabul edilmesi düşüncesi artık o kadar da aynı değil.[1] Ayrıca, onların yazılarında çok üstü kapalı biçimde de olsa (ironi, melankoli) eskiden büyük adlar verilen bir olayın meydana gelmediğini ve sonuçta tamamlanmamışlığın damgasını vurduğu bir zamanda yaşadığımızı gösteren birtakım ipuçları var gibi geliyor bana. (Kaçamak biçimde) dile getirdiğim bu son sözler yalnızca beni bağlar.

Bu anlatıların *Sırça Otel'de Bir Oda*'daki kişileri ya da durumları çağrıştıran birçoğunda, üstü kapalı biçimde o kitabın okunduğu varsayılıyor: Kitabı önceden okumamış olanlardan[2] özür dilerim. Onları nasıl bir sırayla yerleştirecektim? Küçük çapta, bir kütüphanenin sınıflandırılması konusunu yansıtan bir sorunla karşılaşınca (Perec'in bu konuda, kesin ama karmaşayı ortadan kaldırmayan şeyler yazdığı anımsanacaktır), yine yalınlığı, alfabetik düzenin biraz kıt ama söz götürmez düzenini yeğledim. Başlangıçta çok daha ustalıklı sıralamalar da tasarlamıştım oysa. Geçmişte kalmış aşklar, kaçırmalar, kaçırılan randevular, tabancalar, gizli servisler, kaçakçılıklar, bavullar, votka hoşuma giden başlıklardı, ama sarı, kırmızı, öykü içindeki öyküler, resim, okuma, Odysseia, mezar ötesi de aynı şekilde...

Kartları karmanın, dağıtmanın bin bir türlü yolu vardı. Tuhaftır (çünkü sonuçta söz konusu olan otel

---

[1] Bkz. François Hartog'un *Régimes d'historicité. Présentisme et expériences du temps* (Tarihsellik Rejimleri. Bugüncülük ve Zaman Deneyimleri), Seuil, "Librairie du XXIe siècle". Sanırım, *Odalar* yazarlarının pek bir ilgilerinin olmadığı bir "bugüncü" yazın var. (O.R.)

[2] Onların sayısı fazla değil kuşkusuz: bkz. 2. not (s. 12). Öte yandan, onların da içi rahat olsun: Gerekiyorsa, onsuz da edilebilir. (O.R.)

odalarıydı), "kıç" başlığının altına bir tek Patrick Grainville yerleştirilebiliyordu, ama okuyun: Tek başına, birçoklarına yetiyor da artıyor bile.

Ziyaret edilen coğrafi yerler, alfabetik düzende şöyle: Addis Ababa, Amman, Anvers, Azerbaycan'da Bakü[1], Basel, Belle-Île, Berlin, Bordeaux, Somme'da Le Crotoy, Hong Kong, Lizbon, Madrid, Ekvator Ginesi'nde Malabo, Marsilya, Montevideo, Montpellier, New York, Isère'de Pont-Évêque, Québec'te Rivière-du-Loup, Gard'da Sabran, Saraybosna, Sevilla, Şanghay, Sils-Maria, Tokyo, Norveç'te Tromsø. Bir öykü bir otel odasında değil de bir konteyner gemisinin kamarasında gelişiyor. Bir başkası birazcık cehennemsi bir Paris'i andıran belirsiz bir kentte geçiyor. Jean-Christophe Bailly'nin anlattığı bir başka öykü de atlaslarda bulunmayan, ama iyi kütüphanelerin raflarında rastlandığına göre yeryüzündeki varlığı su götürmez bir kenti, Olonne'u merkez alıyor.

Olivier ROLIN

[1] 2009'da, Hazar Denizi kıyısında orada öldüğüm için yakından tanıdığım bir kent. (O.R.)

36 numaralı oda, Pagode Oteli, 4, Longin Meydanı, Olonne

Sabahları geç kalkmak, mazeret olarak hareketli ya da geç saatlere kadar sürmüş bir gece geçirsem bile, hiçbir zaman hoşuma gitmemiştir, kaldı ki dün gece gerçekten öyle gecelerdendi doğrusu! Crook'la birlikte Marquises Sokağı'ndaki barlarda sürtüp durmuştuk, ille gerekiyor muydu, oysa iş tamamdı ve Ruslar çekip gitmişlerdi bile, bilmiyorum, ama oldu işte bir kere, Crook Cenevre yıllarından kalma bir alışkanlıkla içtiği alkol miktarını desilitre olarak hesaplıyordu, ama on-on iki desilitre votkadan sonra, saymayı bırakmıştı, ülkelerine dönen sevgili ortaklarımızın şerefine Stoliçnaya içiyorduk, her şeye karşın bu içki başka bir şeylerle karıştırılmadan, sek içildiğinde (bence, ama bu tartışmaya açık bir konu) sabahları insanın ağzını kupkuru yapmıyor neyse ki: Sarhoşluğun bir uzantısı, coşkun bir hal kalıyor sadece sabaha, uyandığımda ben de öyle hissediyordum, diyeceğim hafif çakırkeyiftim ama her şekilde bu odaya nasıl geri döndüğümü kesinkes anımsamıyordum. Yataktan kalkıp saatime baktım, neredeyse on olmuştu, utanç verici bir şey benim için, doğru dürüst kapatılmamış perdelerin arasındaki yarıktan güneş ışığı giriyor, komodinin üstündeki duvarda titrek bir şerit oluşturuyordu. O an bana teatral gelen bir hareketle perdeleri açınca, gördüm, neyin içinde olduğumu gördüm -Grişa'nın annesi Nasya, bir sonbahar sabahı, üstünkörü onarılmış küçük daçalarında neredeyse yanıma uzanıp, o da teatral biçimde, uyuduğun her oda gördüğün bir düştür, demişti-, kış ışığıyla yıkanıyordum, okyanustan gelip bütünüyle etrafa yayılan bir ışıktı bu, duş yapıyordum onun içinde, gözlerim kamaşıyordu, kent aşağıdaydı, toprağa serilip birbirine dolanmış ırmak kolları arasında kendinden geçmiş gibi görünüyordu, sonra o dik olmayan yamaçları ve az kalsın unutuyordum, önden gelen ışıkta hemen yakınımdaki pagodanın tepesi gibi birkaç sivri uç göze çarpıyordu: Başka bir yaşamda üstüne bir anı metni yazdığım Chantraie Pagodası'ydı bu sözünü ettiğim, evet, kentin ortasında, adanın ucunda, altta kalan bahçesiyle bir Çin çılgınlığı (dün geceden belli belirsiz bir görüntü geldi gözümün önüne, bambuların önünden geçip giden kaçak bir karaltı, kimdi o, ipek, boyalı tırnaklar anımsıyorum, porselenler ülkesi), onun yüzünden bu oteli seçmiştim, Crook'la ötekilerin bu otele yerleşmesini sakınımlı davranmak gerek diyerek engelleyip kendi başıma kurulmuştum odaya. Tam karşımdaydı, öteki yaşamımda asla onu böyle, üçüncü kattan (o dönemde, bu bir saray olmasa da, böyle bir otelde kalmak söz konusu bile değildi) görmemiştim ve bu durum çok keyiflendirdi beni, handiyse şarkı söyleyecektim, akıp giden zamanın hüznü (yirmi yıl sonra, kitaplardaki gibi) belki de ortalığa yayılan şu güneşin etkisiyle bengi dönüş duygusuna bıraktı yerini, küçücük bir tutam sonsuzluk nüfuz etti benliğime, böyle söylenmesi gerekir, bana kalırsa şu çıkıntılar olmasa zamana ilişkin bir tek akışının imgesi kalır elimizde, oysa hem o akış, hem de şu sivri uçlardır zaman, üstelik aynı an içinde, bir akım ve onun içinde birbirlerinden uzaklaşan adalar, iğneler, bizleri kurtaran ya da yanılsamalarla bizi oyalayan bir akupunktur, adalar tıpkı Sauve'un üstünde, Olonne'unkiler gibi.

O şekilde, ışığa gömülmüş halde ne kadar durdum bilmiyorum –aslında zaman değildi söz konusu olan, ölçülemez bir uzanımın içindeydim– bildiğim bir şey varsa o da çalan telefonun yüreğimi hoplattığı ve açmamaya karar verdiğimdi. Neyse ki fazla uzatmadan sustu, ama her şey başa dönmüştü. İçeri soğuk hava girsin diye pencereyi açtım, gerçekten de çok soğuktu hava, tahmin etmeliydim bunu, rıhtımların üstünde her yerde kırağı görülüyordu, ak bir esrime uzanıyordu ufka kadar. Arkamı döndüğümde, az çok İtalyan tarzı, iki kişilik geniş yatağın neredeyse hiç bozulmadığını gördüm – insan yığılıp kaldığında yatağın hiç bozulmadığı olur, hafifçe yana itilmiş saman rengi yatak örtüsünde neredeyse düzenli buruşukluklar fark ediliyordu sadece, bunda, arkamda iz bırakmayışımda ve yataktan gizlice geçip gidişimde içimi rahatlatan bir şeyler vardı. Yatağın üstünde, maviye çalan bir kâğıtla kaplı duvardaki, altın rengi bir çubukla çerçevelenmiş bir gravürde Euclide Meydanı görülüyordu, bir Venedik *campo*'sunu andıran bir şeyler vardı bu meydanda, bir köşede çocuklar kaydıraktan kayıyorlar, gökyüzünden kuşlar geçiyordu, bu resmi daha önce görmüş olduğum hissine kapıldım, bana bir şeyler anımsatıyordu, elbette bu kentteki bir apartman dairesini, ama nerede, ne zaman, ne kadar düşünsem çıkaramıyordum. Komodinin üstünde, telefonun yanında, Anton Çehov'un *Sahalin Adası* duruyordu, yalnız başıma bir gece geçireceğimi düşündüğümden ve Kaptan Crook'la gezip tozacağımı hesaba katmadığımdan bu kitabı okumayı sürdürebileceğimi düşünüyordum, bir önceki gün trende okurken altını çizdiğim tümceyi bulmak amacıyla onu aldığımda, girişteki boş sayfasının koparıldığını fark ettim, kafam karıştı –neden koparmıştım ki onu? Tabii eğer koparan gerçekten bensem–, neyse, sayfa kenarındaki mavi bir çizgiyle işaretlenmiş tümcede şöyle deniyordu: "Hepsi orada öylece kalakaldılar, ciddi bir havaları vardı ve sanki bu dünyada her şeyin, acının bile bir sonu olduğu düşüncesiyle içleri kararıyordu," derken koparılan sayfayı anımsadım, Grişa için Şimelk'in erkek kardeşinin adresini yazmıştım onun üstüne, Londra'daki adresini, Prag'dakini değil, acelesi vardı ve adresi yazacak başka bir şey bulamamıştım, kitabın adını gördüğünde Grişa gülümsedi ve titreştire titreştire sözcüğü yineledi, "Sahalin", ister istemez, onun o harap olmuş beyninde bile, bu ad benden daha çok şey ifade ediyordu kendisine, her ne kadar ben katran ve kurutulmuş balık kokuları içinde, Ohotsk Denizi'nin kıyılarında, bir dalgakıranın üstünde yaşamlarının sona ermesini bekleyen o adamları yalnız hayal etmekle kalmayıp gözlerimle gördüm diyebilirsem de.

Neredeyse oda kadar geniş olan ve iki kanatlı, camları pahlı ayna bir Fransız penceresiyle odaya bağlanan tuvalete de yukarıdaki küçük bir pencereden ışık giriyordu, ama daha az, o pencerenin pervazına içinde kurutulmuş bir ortanca bulunan bir vazo yerleştirilmişti, solgun pembe renkli, üstünde bir sürü yeşil çizgi görünen bir ortancaydı bu. Bir otel odasındansa bir kır evindeki ev sahibesinin işi gibi görünüyordu, ansızın bu çiçeğin geldiği taşraya özgü tüm o yoğunluğu hissettim, tüm o evler ve ağaçlı yollar, koridorlarda koşan çocukların sesleri, şampuan ve hanımeli kokuları, anılar içinde yarı saydam bir hal alan o saydamsız dünya, bırakıp gitmiştim onu... Ohotsk Denizi için bırakıp gitmiştim diyelim, ya da onun kız kardeşi başka bir deniz için, başka bir toprak için, hayır geçmişe özlem duymayacaktım, en azından bunun için, şu kış sabahının hafifliği geri dönüşümü bir hac yolculuğu havasından çıkarsın istiyordum (aslında Crook'la gece çıkmayı da zaten bu yüzden kabul etmiştim, başka anıların canlanmasını göze almıştım, ama neyse ki Malicoco kapalıydı, Coursive'de de dekoru bütünüyle değiştirmişlerdi). Yüzüme çarptığım soğuk su iyi geldi, gözlerim kapalı halde geceden güne kalan şeyleri yutmaya çalıştım, Öteki aynadan bana bakıyordu, kendisine yakıştırdığı o hınzır ifadeyi ortadan kaldırdım ve benim zevkime göre biraz fazla uzun olan saçlarını taradım, her şey mütevazı biçimde yerli yerine oturacaktı ki telefonun sesi yeniden yankılandı. Ne yazık ki bir kez daha yanıt vermezlik edemezdim, Crook'un hiperaktif aklında ya da Grişa'nın hem ağır işleyen, hem de yontulmamış aklında herhangi bir varsayımın oluşmasına izin veremezdim. Açtım, arayan ikisi de değildi, otelin kapıcısıydı, buluşacağım kişinin geldiğini ve beni aşağıda beklediğini söyledi. Bu tür herhangi bir şeyi anımsamam olanaksızdı. Benimle dalga geçip geçmediğini öğrenmek için Crook'u aradım, gerçi bu pek de onun tarzı sayılmazdı, ne var ki zaten telesekreteri çıktı, o halde her şey olabilirdi, insan on desilitre devirdikten sonra ne yaptığını çok iyi bilmiyor, belki de gerçekten bir randevu vermiştim, bir anının anısı gibi bir şey canlandı kafamda, hayal meyal gecenin derinliklerine karışmış bir şey, ama gerisi gelmedi, pencereye gittim, gün biraz daha aydınlıktı ve şimdi aşağılarda, neredeyse dağılmış olan sisin üstünde fabrikaların dumanları yükseliyordu·apaçık biçimde, Sauve'un üstünde güneş parıldıyordu, güneşin yeryüzüne yansıyan haliciydi sanki, insan kendini Japonya'da, Kore'de sanıyordu. Aşağıdan, genç bir kız bisikletle geçti ve köprünün girişinde göremediğim birine bir el işareti yaptı, hoşuma gitti bu, bambu koruluğunun tam önünde, 7. durakta, gazete okuyan bir adam başını bana doğru kaldırdı, bu ise hoşuma gitmedi, geri dönmeden önce yine de pagodanın tepesine çıkmam gerektiğini düşündüm, asma kattaki turnikeyi ve ondan çıkan kaynanazırıltısı sesini anımsadım. Bavulumu odada mı bırakacaktım, yoksa aşağı inerken yanıma mı alacaktım? Neden bilmem, bavulu bıraktım, ama komodinin üstündeki Çehov kitabını aldım, koşullar ne olursa olsun insanın yanında okuyacak bir şeyler bulunmalı diye düşünmüşümdür her zaman. Kitabı ceketimin cebine koymadan önce, kurulmuş makine gibi sayfalarını karıştırdım ve sayfa kenarına çizdiğim bir çizgiyle işaretli öteki tümceye rastladım, metnin başındaydı bu tümce ve şöyle diyordu: "Açık ve güneşli bir günde, denizden süt rengi, bembeyaz bir sis duvarının geldiğini gördüm; gökyüzünden yeryüzüne inen bir perdeydi adeta." Gökyüzünden yeryüzüne inen bir perde: Öyle olacaktı kuşkusuz, ama ne zaman? Televizyonun küçük kırmızı gözünü, gelecekteki düşüşün noktalama işaretini kapatmak istedim, öyle de yaptım, tıpkı başucu lambasını ve tuvaletin ışığını da kapattığım gibi: Tüm ışıklar sönük, bir zamanlar roman sayfalarında "üstü kapalı arabalar" da böyle dolanırlardı. Kapıyı kaparken küçük kutuyu yanıma aldım mı diye baktım, ne olur ne olmaz.

Jean-Christophe BAILLY

Marsilya'daki o otel odası üstüne

Daha doğrusu, bir değil de iki oda. Ben de, Olivier Rolin gibi, bir gün genel olarak kent kent, özel olarak da Marsilya'da, konuk edildiğim ve kaldığım yerlerin, arkadaş odalarının, uyduruk çalar saatlerin listesini yapmaya söz verdim kendime, ama ben hemencecik takılıp kalıyorum. Mobilyalar, düzen, yazı masası ya da televizyonun markası, gelmiyor aklıma.

Olivier Rolin dışında bu alanda ayak direten tek bir kişi tanıyorum: Rolling Stones'un davulcusu Charlie Watts. Kendisi çalışmalarına 1970'te başladı ve ondan beridir de sürdürdüğü iddiasında. Yazmıyor, çizim yapıyor o. Üç kalemle çiziyor. Konserde çalmışlar, uykuları daha gelmemiş, ötekiler gece âlem yapmayı, içki içmeyi sürdürüyor, o ise odaya çekiliyor, lüks otellerin onları ağırlayan birbirinin tıpkısı odalarında, odanın resmini yapıyor. Bu çizimlerin birçoğu yayımlandı: Charlie Watts da insanları kandırmak isteyecek türden bir çocuk değildir. Oysa bana özgünlükten uzak gelen, uyumayı engelleyen o kütle ilgimi çekmiyor pek, bir gece kalınan tüm o otellerdeki sarımtırak renge ne olursa olsun hiçbir zaman alışamayacağınızdan oralarda kusursuz bir gece geçirmeniz bence olanaksız.

Ben de epey yolculuk yaptım, kitap yazmaya başlayalı beri de okuma ya da buluşma tamamlandıktan sonra, yinelenen o deneyimleri, keşfedilen kenti, geri dönülen oteli ve ertesi sabah gara gitmek üzere binilen taksiyi biliyorum. Birçok otel odasında uyudum, Nancy'de (Sırça Otel dışında), Toulouse'da, Amsterdam ya da Brüksel'de, Tokyo'da ve ayrıca Moskova'daki Ekim Oteli'nde (adı hâlâ Ekim Oteli mi, bundan kuşkuluyum). Ama Marsilya'da geçirdiğim o iki gece üstüne, bir araya getirebileceğim hiçbir görsel anım yok.

Ya da şöyle diyeyim: İlk oteli kafamda canlandırmaya çalıştığımda, ikincisi ortaya çıkıveriyor. Bir kesinliktense bir his bu sadece. Bu ikiye bölünmede imge de yok. Önemli olan tek şey şu: İkisi de Marsilya'nın eski merkezindeyse de, birçok kez kendimi buna zorlasam da, yerlerini bir türlü belirleyemiyorum, hatta sokağı bile anımsayamıyorum. Dolayısıyla, *Sırça Otel'de Bir Oda* adlı o tuhaf romana benim yanıtım da bu olacak.

İlk kitabını daha yeni yayımlamış, tipik bir Batılı olarak genel anlamda Güney'e ve Marsilya'ya ilk gidişimdi, başkaları konusunda bütünüyle cahil bir dünya, belki de Akdeniz'le ilgili o belli belirsiz tapıncın dışında, Akdeniz doğrudan onun o vıcık vıcık limanını emiyor sanki ve neredeyse hareketsiz eski yolcu gemilerinin Lübnan'a ya da Süveyş'e ya da tam karşıdaki Korsika'ya ve öteki yakaya nakledilişi. Ondan beri durum değişti, liman yenilendi, gemiler daha ağır ve daha modern, ama sık sık tekrarlanan grevler modern akımı yaşayan kentlere, Barselona'ya ya da Cenova'ya kaydırdı: Burasıysa artık yaşamıyor. O zaman da yaşamıyordu. Başka, eski merkezin dar ve yüksek sokaklarını dolduran şu insanlar ve onların Afrika kokuları, her dilin konuşulduğu dükkânlarda pılı pırtı yığınları (bunu da temizlediler, genellikle geri kalan her şeyle birlikte kokuları da ortadan kaldırdılar: şişlerin üstünde yirmişer yirmişer pişen, koskocaman saydamsız ve gri gözlü, kıtır kıtır ses çıkaracakları düşünülmeyen ama yerken kıtırdayan o kuzu başları), başka, kuzeye doğru gidildiği ölçüde kayaların üstünde bir sürü heybetli bina, başka, havaalanına doğru o uzayıp giden sanayi bölgeleri ve çevre yolları, başka, başka... (küçük koylara doğru uzaklaşıldığında, söylencesine göre ya gri ya da masmavi denize bakan o yaya yolları gibi, ne kadar çok açıklama yapılmıştı oralarda). O dönemde, gece treniyle gelinirdi, sersem bir halde uyanılıp Berre Gölü üstünde, benim gibi sanayi manzaralarına her zaman bayılmış olanlar güneyin olağanüstü ışıklarını keşfeder, ortama hayran olurlardı: Rafinerilerin trenin camında belirişini anımsıyorum. Başka, başka. Bir fuar binasında geçirilen o gün, hoparlör sesleri, biraz şaşkın bir kalabalık: Bir daha uzun zaman edebiyat salonlarında boy göstermeyi aklımdan bile geçirmeyeceğim, ardından tabii ki buluşma, gerisi gelmemeliydi onun. Ne var ki ertesi akşam sadece yeniden yola koyulmam ve iki aydan daha kısa bir süre sonra geri dönmek için hazırlık yapmam gerekiyordu, daha o zamandan yazışıyorduk onunla (ondan sonra tüm bunları yırtıp attı). İşte, içinde yalnız ve son derece sarsılmış bir halde olduğum şu oda, elbette yaşam boyu geçerli bu durum, olayın üstüne bir daha düşünülmüyor, kabullenmeye, anlamaya çalışıyor insan, Marsilya'nın merkezindeki şu belli belirsiz otel odası anısında sonraki yankıları kavramak güç olsa da. Cumartesi gününü geçirdiğim o tozlu ve gürültülü salondan yarı yarıya boşalmış sıralar, bir Little Bob Story konseri kalmış aklımda (ondan beri Little Bob'u hâlâ, hiç değişmeyen, biraz da özlem dolu bir biçimde seviyorum, büyük olasılıkla kendisi anımsamıyordur bunu), diyeceğim çevrede içen kimse kalmadığında onunla birlikte devirdiğimiz kadehler, en sonunda da biz sanatçılarla konuklara otele kadar eşlik etmeleri. Ertesi gün, kendi olanaklarımla kitap yığını arkasındaki görevimin başına geçmek zorundaydım, sanmıyorum kendimi kente bir maceraya atmış olayım, ertesi gün o geri döndü, bunu yapmaması gerekirdi, her şey böyle başladı. Ardından Marsilya'da yaşadım. O oteli bütün bir yıl boyunca aradım, aklımda kaldığı kadarıyla. Uzun zaman aradım, yemin ederim, sokaklarda dolaştım, bina cephelerini inceledim, doğru yolda olduğumu gösteren hiçbir ipucuna rastlamadım, hiç kanıt bulamadım, aman canım neyse işte. Bir tek sabahları, çatı katlarının üstünde görünen bir gökyüzü parçası anımsıyordum: çatılardan oluşan bir ufkun üstünde mavi bir parça, belki altında bir avlu, bu kadarla araştırma yapılmaz.

İkinci seferse, neydi, daha iki yıl bile geçmeden o dönüşten beri onca şey üst üste yığılmış gibi gelirken bana, birkaç hafta sonra, ve belleğin sabit noktaları, martılarla beraber mavi bir şey, Saint-Charles Garı'nın merdivenleri üstünde bir graffiti (Saint-Charles Garı'nın merdivenleri Marsilya'nın daimi ucu kesinkes), ama bu ikinci seferde trenim Roma'dan geliyordu, orası kesin, ayrıca bir gece treniydi ve bu kez rafineriler yoktu, büyük olasılıkla evet garın gürültüsü içinde bir kahve ve onun vurdumduymaz, homurdanan kente bakan camları, öteki tarafta gözetleme halindeki Notre-Dame de la Garde, Akdeniz üstündeki o sonsuz ve son derece ağır bir nakil hareketi içindeki paslı gemiler: Roma bir deniz kenti değil, Marsilya'ysa kesinlikle öyle, tıpkı Cenova ya da Napoli gibi, çünkü o yıl, İtalyan demiryolu terminolojisinde, her şey böyle işlemiş kafama. Öğleden sonra görüşmüştük ya da görüşmedik, her şekilde ertesi gün buluşmamız gerekiyordu. Çok şey geçirmiştik zaten, neler neler geçirmiştik. Belki de o ilk günü beklemekten başka yapacak bir şey yoktu, bu da ikincisi olacaktı: Bu kentte kimse beni tanımıyordu, dünyada kimse benim orada olduğumu ve kentte ne yaptığımı bilemezdi, kent bile tümüyle düşman ve dilsiz ya da yalnızca orada oluşumu, kendisine, kente düzenlenen bu baskını kınar gibi görünüyordu.

Sırça Otel'de Bir Oda'da etkileyici olan şey, her

yalın ve şifreli betimlemede, ölçütlü nesnelerde, anlatılan, büyük olasılıkla özyaşamöyküsünden odalarda, bir o kadar şifreli ve ölçütlü bir aksiyon, macera, casusluk, aşk romanıyla bir öykünün anlatım tarzının örgü şeklinde üst üste binmesidir: Betimlemenin varsaydığı gerçekliğe kök salınırken, öykünün içinde ilerlenir. Akıl almaz olabilir bu öykü, bu konuda üstüne yoktur, değil mi ki hazzı kurgunun gerçeklik yanılsamamızın üstüne ve bu gerçeklik yanılsamasının da herhangi bir nesnenin, dövme demirden bir radyatörün, bir televizyonun, pencereden gördüğümüz bir şeyin tanımının üstüne kök salma şeklinden bekleriz ısrarla. Benim aklımdaysa, Marsilya'daki o iki otelden, ilki için bir lavabo, ikincisi için de bir koridorla onun merdivenle birleştiği yer kalmış belli belirsiz.

Diyeceğim Marsilya'da ikinci kez bir otelde kaldım. Onu da tanımlayamıyorum, ama insanın ayağının altından kayıp duran bir halıyla kaplı ahşap merdiveni, yer yer içerlekleşen ve bir yerde ikiye ayrılan, hiç kuşkusuz ikinci kattaki koridoru ve bir duvara bakan bir odayı anımsıyorum (bugün bunu sadece bir gece kalacağım bir otelde yazıyorum ve gündüz olduğundan açık olan pencerem bir duvara bakıyor). Yan odada, bir çift sevişiyordu, uzun uzun, vahşice, tekrar tekrar. Duvar inceydi. İç çekişler, o sakin ya da insanın içine dokunan hırıltılardan duyuluyordu, kesinkes ve tekrar tekrar hazzın yükselişi, bir kızın çığlıkları, tutmaya çalışsa da, belki de sırf tutmaya çalıştığından, sonra anlamını bilmediğim ama sizi ayıran alçı duvar iki santimetre olunca kolayca çözülebilen o fısıltılar.

Yeniden dışarı çıkıp bira içmek mi? Buna gücüm, daha doğrusu cesaretim yoktu. Bir an elimi duvara koyduğumu ve duvarın titrediğini anımsıyorum. Kafa davula dönmüş, kendi öykünüz yankılanıyor içinde, sizi oraya getiren şeyler. O çılgın gecenin içinde, yandakinin o olduğunu bile düşünebilmek. Sabahın erken saatlerinde aşağı inip kahve içmeye gittim, doğrudan köprünün üstüne, kentin en pahalı kahvesine, teraslı, garsonları beyaz giyinmiş; sanırım onların, yan odadaki çiftin yüzlerini görmek istememiştim.

Geriye kalan her şeyi unuttum, sokağı, cepheyi, odayı bile: Gerisi uykusuzluk, kentle ilişkilendirilen uykusuzluk.

François BON

555 numaralı oda, Gramercy Park Hotel, New York

"Gramercy Park Hotel'e yanıma gel. Room 555."

Bu havalı ve ateşli buyruk büyüledi beni. Başkalarının, aranızdan birçoğunun tersine, ben köşemden, sokağımdan, mahallemden ender çıkarım. *Room* sözcüğü mest ediyor beni, heyecanlandırıyor, kibar kibar bana bakan iki yuvarlak göz adeta.

A room of our own[1], işte böyle dedim kendi kendime, kaygan zeminde ilerliyordum oysa, İngilizce benim harcım değil. Gramercy Park Hotel. Her heceyi telaffuz etmeye çalışıyorum: İlkini sertçe vurguluyorum, ikincisinde sesimin tonu alçalıyor, üçüncüye geldiğimde saygıyla eğiliyorum yerlere kadar. Bana Anglosakson tarzı gelen bir biçimde yüzümü buruşturuyorum, ağzım Amerikan, hayır, İngiliz oluyor, böylesi daha iyi, çünkü bu Gramercy'yi tamamen bana yabancı olan Manhattan Okyanusu'ndaki bir İngiliz toprağı gibi görüyorum. Bir babaanne havasıyla, Grand-Mersi türü bir şey, evet ya, tam bana uyacak türden sözsel bir peçe. Cilalı geniş merdiven, dallı budaklı tırabzanlar, koşarak basamakları tırmanan, koridorlara sapan, odaların eşiğinde duran kırmızı halı geliyor gö-

[1] (İng.) Bize ait bir oda. (Ç.N.)

zümün önüne önceden. İmgelemim odaların eşiğinde duruyor. Yeniden aşağı inelim. Üniformalı otel görevlisi, daha doğrusu görevlileri altın düğmeli giysiler içinde ve Buckingham Sarayı'nda nöbet tutuyormuşçasına dik duruyorlar.

Her birinin göğsünde dev gibi anahtarlardan oluşan bir külçe var. Şimdilerde verilen ve odanızın kapısını asla doğru tarafıyla açmayan, kilide öyle hemencecik sokulamayan ya da fazla hızlı sokulan şu delikli kartlar değil sözünü ettiğim. Hayır, dövme demirden kıvrımlarıyla koca koca anahtarlar ve Fars alfabesindeki harfler şeklindeki kilitler. Bu anahtarlardan biri Gramercy Park'ın -hafif tumturaklı adına karşın küçük bir park- parmaklığını açıyor, bir tek cilalı ahşap pencereleri vb. ağaçlıklı yollara bakan talihli otel sahipleri ve G.P.H.'nin müşterileri girebiliyor oraya.

Evet, bundan böyle, adını koyalım, birinin sırtına vurur gibi içtenlikle: Bizim G.P.H.!

Seçilmişler oymalı -pek hoş- parmaklığın kendilerine açılmasını istiyorlar ve ne kadar zaman sonra onları almaya geleceklerini soruyorlar. Yeniden çocuk olmanın kibar bir biçimi bu. Yaş ilerlediğinde, küçük parkta unutulma korkusunun kibar bir biçimi.

Tek başına, sincaplarla birlikte kapalı halde.

M., bana Lou Reed dinleterek tüm bunları yüz kez anlattı. On yıllar boyunca -altmışlı yıllar, bana otuz yıl sürmüş gibi gelen bir on yıl- G.P.H. Lou Reed için yolculuklar arası mola yeri ve ev olmuş. M. "kale" diyor. Ben de G.P.H.'yi, ünlü barını ve bir o kadar ünlü *bloody mary*'lerini bir kale gibi görüyorum.

Kırmızı bir kale, tıpkı odaların kutsal kapılarına dek her yeri dolaşan halı gibi, kırmızı duvarlar, ağaçların kırmızı yaprakları gibi, kırmızı sincaplar gibi, sabırsızlıkla çarpan kalbim gibi. Kırmızı yanaklarım gibi. O şatoda bekleniyor olmaktan gurur duyuyorum.

Bir kale, hafif asık suratlı bir şato değil de nedir?

Gramercy Park Hotel'e vardığımda, M.'den orada olamadığı için özür dileyen bir mesaj alıyorum. Kasketli bir adam, katlanmış küçük kâğıdı, üstünde 555 yazan küçük gözden çekip alarak büyük bir nezaketle bana uzatıyor.

Randevular, zorunluluklar, yükümlülükler, can sıkıcı aksilikler.

Bir daha kimsenin yanına gitmeyeceğim, diye geçiriyorum içimden gözlerim yaşarmış halde, -epey eski- Adidas çantamı -epey sarsak- asansöre ve 555. odaya doğru kırmızı halının üstüne sürükleye sürükleye.

Bundan böyle, insanlar gelsin benim yanıma. Üstelik ben orada olacağım. Her zaman. Sonuçta, olur a, başarabilirsem arada sırada ekeceğim insanları.

555. oda, sanırım, komşuları 551'e, 552'ye, 553'e, 554'e ve kesinkes 550'ye benziyor. Peri masalının sınırı: numaralama.

Mekâna alışmak için kapının karşısına, yere oturuyorum. Ağlamadan. Sakın ağlama, seni aptal, diye haşlıyorum kendimi, en sevdiğim kitaplardan biri olan *Solak Kadın*'ın en duygulu sahneleri aklıma geliyor.

Biliyorum, ateşle (şu durumda suyla) oynuyorum; ne yapsam alamadım kendimi bu işten.

Not ediyorum:

Bej yatak, bej duvarlar, bej yatak örtüsünün iki yanında koyu kestane rengi komodin. Yeşil ve bej Veronese tablosu. Yatak örtüsünün karşısında – ama biraz daha yüksekte, duvarın ortasına doğru: Bir tür ırmak ya da dağ perisi, yaşlı orman tavuklarını andıran ihtiyarlardan kaçmaya çalışıyor. Normal bir gömme dolap. Park yeri manzarası. Hayır, abarttım, sokak ve park yeri manzarası, ama bir hayli yüksekten. Park yeri boş.

Kara kutu.

Pencere korkuluğuna koskocaman yapışkanlı kâğıtlarla asılmış, iklimlendirici kara kutu.

Sanırım çalışmıyor. Canıma minnet.

Kestane rengi sandalyenin, sarı ve kestane rengi emprime kumaş kaplı koltuğun üstüne, bir de tabii yerlere M.'nin çorapları, kâğıtları, tişörtleri ve donları incelikle serpiştirilmiş, banyoya doğru giden bir yol oluşturuyorlar. Bir şarkı dizesi daha diyorum kendi kendime, gereksiz ve yersiz bilgilerle dolu saçma bir alışkanlıktan.

Banyo çok iyi. Amerikalılar banyoya dikkat ediyor. Küvet normal, musluklar normal. Su.

Bir ikilemle karşı karşıyayım. Banyo mu, sincaplar mı? İkisi de elbette, ama hangi sırayla?

Deneyimsiz yolcular -kendimi de saygıdeğer ve sayıları gitgide azalan bu insan grubundan saymaktan hiç utanmıyorum- bir yere vardıklarında duş almaya teşvik ediliyorlar - en azından bu olanaklı olduğunda.

Peki ya insan yolculuktan önceki kirli bedeniyle kalmak istiyorsa ne olacak? Ya tavşan burcunda[1] yeni bir yaşama başlamaya niyeti yoksa? Tavşan sözcüğünü kasten kullandım, güldürmek için değil -hem kimi güldüreceğim ki?-, sadece her an kendini hissettirmeye ve yeteneklerimi felce uğratmaya hazır terk edilmişlik duygusunu aklımdan uzaklaştırmak için. "Yeteneklerimi" diyorum. Saçma bir örtmece. Asıl kolum bacağım, kafam, kalbim ve birdenbire sıkıntıyla perdelenen ellerim felce uğrayacak.

Ne çorapları, ne donları kaldırmaya karar verdiğimi fark ediyorum. Notlarla, uzun telefon konuşmalarında çizilen türden gevşetici küçük çizimlerle kaplı sayfalara da dokunmayacağım. Örneğin M.'nin dün

---

[1] Bu metinde bunun dışında da birkaç kez "tavşan" (*lapin*) sözcüğü geçiyor. Kaldı ki "*poser un lapin à qqn*" deyişi "ekmek, randevuya gitmemek" anlamını taşıyor. O yüzden, bağlama bakarak, tavşan sözcüğünün kullanıldığı öteki yerlerde "ekilmek" sözcüğünü yeğledim. (Ç.N.)

benimle yaptığına benzer telefon konuşmalarından söz ediyorum, onun yanına gelmek için okyanusu aşmaya karar vermeme neden olan o konuşmadan. Şunu da unutmamalı: "Yanına gitmek" sözünü aklımdaki sözcük dağarından çıkarmam gerekiyor, bu söz de canımı acıtıyor.

Üç ya da dört numaralı durum saptaması:

Sincapları yeğledim.

Kırmızı halı boyunca ilerleyip merdivene ulaştım ve resepsiyona gittim. Prezervatif, sigara ve içecek makinesini aklımda işaretledim. Sevimli bir havayla (bence) gülümseyerek otel görevlisinin karşısında dikiliyorum. Tepki vermiyor. Görevlinin yaldızlı yenini çekiştiriyorum onu kaygı verici bir uyuşukluktan kurtarmak amacıyla.

Açık bir tepki vermiyor.

Daha sertçe asılıyorum koluna ve bu hareket en çok sevdiğim kitaplardan başka birini anımsatıyor bana: *Eloïse Plaza'da*. Zavallı Eloïse, zavallı küçük zengin kız, diye alay ederdi erkek kardeşim, tiksinirdi o kitaptan. Zenginlerin hüznünün seni ilgilendirmediğini anlamadın mı daha?

Neyse, şimdi bırakalım kardeşimi, ziyaret etmem gereken bir park var. Yaldızlı zombiye ısrar ediyorum. Key, garden, a moment, please, diyorum.

İngilizceme ben de bayılmıyorum. Ama robot yürümeye başlıyor, derler ya öyle dibinden takip ediyorum onu.

İki dakika sonra, parktayım, arkamdan parmaklığın kapısı iki kez kilitlendi, şaşkın bir durumdayım.

Tutsak.

Atlantik'i geçtim, tasarruf hesabımı boşalttım –tamam pek dolu değildi ama olsun–, sonunda da kendimi New York'ta tek başına buluverdim, kendime güvenim beş paralık olmuş, bir parka kilitlenmişim, ufukta da sincapgillerden hiçbir hayvan görünmüyor.

Çok hoşnutmuşum gibi yapıyorum, aman aman, sonbaharda kızaran şu ağaçlar nasıl da dokunuyor insanın içine, aman aman, bunlar ne güzel çiçekler böyle, yıldızçiçeği yanılmıyorsam! Parmaklarımı saçlarımdan geçirip *charter* uçuşu sırasında uyuşmuş omuzlarıma döküyorum onları hafifçe. Bir an, *Cennetten Uzakta*'ki Julianne Moore oluyorum ve su yeşili eteğimi döndürüyorum. Ama bu hayal dağılıyor. Julianne Moore iki gözü iki çeşme ağlamaya başlıyor, yaşam kendisine ihanet etmiş. *Bad trip*. Başka bir şey deniyorum. Ah ah, akşamın tozu dumanı içinde gezinen şu küçük çocuk bir harika, a bak bir kuş, üstüne üstlük bu bir karatavuk!

Tüm bunları söylemiyorum kendime, insan kendine "üstüne üstlük" demez asla, ne yıldızçiçeği, ne de kızaran; bunları demesi gerekir, ama demez.

Ağaçlı yoldan akıp giden çocuğun ve ilgisiz bir iki gezginin karşısında keyfim yerindeymiş gibi görünmeye çalışıyorum. Sincap olacak şu iğrenç hayvanları kolluyorum.

Çocuk kayboldu. Parkta gezenler sıvıştılar, anahtarları var. Dünya üstünde iki tür gezgin var, anahtarları olanlar ve olmayanlar.

Işık epey azaldı.

Taştan bir sıraya oturuyorum.

Bekliyorum.

Üşüdüm.

Kimse kalmadı.

Lüks yaşam nasıl da aldatıcı.

(Şimdiki sahne iki üç gün sonra gerçekleşiyor, kadın bir defterin üstüne eğilmiş. Saçı başı darmadağınık, yüzü solgun. Yatak bozuk. Kahvaltıdan kalma ekmek kırıntıları, kirli fincanlar, bir sürü tepsi kaplamış hâlâ bej ve kestane rengi olan odanın düz yüzeylerini.)

Bırakalım bu saçma açıklamayı, bu gereksiz parantezi. Vazgeçelim şu basmakalıp sözlerden, dur durduğun yerde, solak kadın ve senin o pis müziğin. Ben'e dönüş.

M. gelmedi.

Mesajlarında endişelenmememi, her şeyin yolunda olduğunu, bana sonra açıklayacağını söylüyor. Aşk öncelikle birbirine güvenmek demekmiş, sonra da her zaman hep güven demekmiş.

Bunları dikkate almamaya karar veriyorum. Endişeden ölüyorum, içim içimi yiyor, ama ne yapacağımı hiç bilemediğimden, odadan bir yere kımıldamıyorum artık. Zaten, sokakta korkuyorum, sincap da yok.

Çorapları topladıktan, kâğıtları düzenledikten sonra, pencerenin altındaki bej Formica sehpanın önüne oturuyorum. Sumenle kurutma kâğıdını birbirinden ayırıyorum, antetli kâğıdı sehpanın tek çekmecesine atıp yazıyorum. Buraya gelmeden önce söz vermiştim, *Tiffany'de Kahvaltı* üstüne yazınızı bize 18 Ekim'de verirsiniz. Bugün 18 Ekim. İşimi her zaman zamanında teslim ederim. Bundan da çok gurur duyarım. Yazıyorum. Haydutlar, boş kafesler ve karmaşık aşklar söz konusu. Yazdığım metin sert, dürüst, esinli.

Özgürlük üstüne, ancak neredeyse gönüllü bir tutsağın yazdığı bir metin mantıklı gelebilir okuyana. Adını da koydum: Boş Kafes Şiiri. Az önce bitirdim.

İşte bu, kara bahtlı ama onurlu, yürekli bir kadın olduğumu kanıtlayacak dünyaya – dünyanın pek umurunda değil ama olsun. Karar verdiğim şeyi yaptığımı görecekler. Bu aptalca bir şey olsa da.

Onu bulduklarında, belki de ben yalnızlıktan ve acıdan ölmüş olacağım. Gülüyorsunuz. Bundan ölünmez sanıyorsunuz. Bir ekilme. Bir baş ağrısı. Bunların isterik abartılar olduğunu, her şeye ağlayan solak kadının sarayının keyfini çıkarması gerektiğini düşünüyorsunuz.

Çalışmanın -genelde olduğu gibi- kara düşünceleri dağıtacağını düşünüyorsunuz.

Bu doğru, her ne kadar bu anlatının hatalarını düzeltirken, sağ böğrümde pis bir acı duysam da.

Geneviève BRISAC

304 numaralı oda, Pont-Évêque'te Midi Oteli, Isère

Masanın üstünde, karşımda, spiralli bir defterden koparılmış, siyah keçeli kalemle yazılmış, daha doğrusu karalanmış notlarla, önlü arkalı dolu dört yaprak duruyor. Bu notlar Isère, Pont-Évêque'teki Midi Oteli' nin 304 numaralı odasının ayrıntılı bir betimlemesinde kullanılacaktı. Geçen 12 Haziran'ı 13'üne bağlayan gece almıştım notları, Hélène'in kız kardeşi Juliette o gecenin sonunda ölmüştü.

Ondan dört ay önce kanser tanısı konmuştu, hep söylendiği üzere hastalığının nasıl gelişeceği konusunda sakınımlı tahminlerde bulunuluyordu ama bu kadar çabuk ilerleyeceği düşünülmemişti. Sözünü ettiğim geceden bir gün önce, Hélène beni gözyaşlarına boğulmuş bir halde arayıp Juliette'in ölmek üzere olduğunu, birkaç saat içinde bunun gerçekleşebileceğini ve kendisinin eve uğramadan, ilk treni yakalamak üzere doğrudan Lyon Garı'na gideceğini söyledi. Orada buluştum onunla ve tüm yolculuk boyunca, yalnızca elini tutup ara sıra adını yineleyebildim, onu sevdiğimi söyledim. Sabit gözlerle önüne bakıyordu. Bazen kapıyordu gözlerini.

Juliette Lyon'dan çok uzak olmayan Vienne'in yakınlarında oturuyordu. Bütün aile oradaydı; Juliette' in tarafı ve kocası Patrice'inki. Bu insanlardan bazılarını pek az tanıyordum, gerisiniyse hiç. Hélène'le yılın başından beri birlikte yaşıyorduk sadece, aileye sonradan katılanların en yenisiydim ben. Juliette'e yakınlık duyuyordum ama yaşamımda yalnızca bir kez görmüştüm onu, bu yas benim değildi, Hélène için oradaydım, ona yardım edemediğimden en azından yanında olmak için. Oraya vardığımız akşam, geç saatte, hastaneye, reanimasyon servisine gittik. Juliette çok zayıftı, ama bir talihsizlik olmazsa o gece ölmeyeceği tahmin ediliyordu. Doktorlar en azından ertesi akşama kadar onu hayatta tutabileceklerine inanıyorlardı ve kendisi de, kocasıyla anlaşıp bu son günü yakınlarına veda ederek geçirmeye karar vermişti. Bu süreçte, kendisini olabildiğince iyi hissedebilmesine yardımcı olunmasını istemişti. Olabildiğince iyi derken, bilincinin açık olmasını, çok fazla acı çekmemeyi ve bedensel açıdan kötü görünmemeyi istiyordu, özellikle üç kızını, onların akıllarında kalacak son görüntüsünü düşünerek.

O cumartesi aynı zamanda okulda şenlik vardı. Kızlarından yaşça daha büyük olan ikisi, yedi yaşındaki Amélie'yle dört yaşındaki Clara o şenlikte bir gösteriye katılacaklardı. İki gün önce, anneleriyle babalarının gösteriye geleceğine inanıyordu kızlar. Önceki gün, babaları onlara annelerinin zamanında hastaneden çıkıp çıkamayacağının belli olmadığını söylemek zorunda kalmıştı. Şimdi de, onun artık hastaneden çıkamayacağını, gösteriden sonra onu görmeye gideceklerini ve bunun son kez olacağını söylemek durumundaydı.

O zaman da senaristlik yapıyordum, hâlâ da öyle, işim gereği dramatik durumlar yaratıyorum kimi zaman ve bu mesleğin kurallarından biri de aşırılıktan ve melodramdan korkmamak. Ama sanırım, kurgu bir öyküde, okul şenliğinde dans edip şarkı söyleyen küçük kızlarla hastanede can çekişen annelerinin görüntülerini bir arada kullanacak kadar yüzsüzce acıklı bir senaryo yazmam kesinlikle. Olayı daha da içler acısı kılan şey, tabii daha içler acısı kılınabilirse, okul şenliğinin çok güzel olmasıydı. Gerçekten. Biri 18, biri 14 yaşında iki oğlum var, dolayısıyla birçok okul şenliği gördüm ben de, anaokulunda ve ilkokulda yılsonu şenlikleri, tiyatro gösterileri, şarkılar ya da pantomimler, elbette her zaman dokunaklı etkinliklerdir bunlar, ama aynı zamanda zahmetli, üstünkörü, kısacası biraz baştan savma işlerdir, en hoşgörülü ailelerin bu gösterileri düzenlemek için kafa patlatan eğitimcilere teşekkür etmelerini gerektiren bir şey varsa, o da bu işin kısa kesilmesidir. Clara ile Amélie'nin katıldıkları gösteriyse kısa değildi, ama aceleye getirilmiş bir etkinlik de değildi. O küçük bale gösterileri ve skeçler ancak çok çalışma ve özenle yakalanabilecek belirgin bir nitelik taşıyordu.

Dedeleriyle nineleri getirmişti kızları hastaneye, yanlarında bir de henüz bir yaşında olan ve acaba ne hissediyor, daha sonraları bu anı gözünde canlandırmaya çalışırken hangi sözcükleri kullanacak diye düşündüğüm küçük Diane vardı. Günün sonunda, sıra bize gelmişti. Hélène'le birlikte gitmiştim ben de. Juliette bilincini yitirmişti. Yapması gereken her şeyi yapmıştı. Kocası Patrice yatağın üstüne uzanmıştı, onu kollarının arasına almış alçak sesle konuşuyordu. Sonuna kadar bir tek o kalacaktı yanında. Tam oradan ayrılmadan önce, gece olurken, Hélène her şey bittiğinde kendisini aramasını rica ederek cep telefonu numarasını nöbetçi hemşireye bıraktı.

Bir de akşam yemeği faslı var, evin bahçesinde. Çok sıcak bir haziran akşamıydı, komşular barbekü yapıyorlardı, hatta şişme havuzlarda oynayıp birbirlerini ıslatan çocukların sesleri duyuluyordu. Hélène'le birlikte erkence bir saatte Pont-Évêque'teki Midi Oteli'ne döndük, bir önceki geceyi de orada geçirmiştik.

Odada sigara içmek yasaktı, kül tablası yoktu, bu yüzden yanmasın diye dibine azıcık su koyup plastik diş fırçası bardağını kullandık. Gerçekten iğrenç bir sıvı oluşmuştu bardağın dibinde. Ardına kadar açtığımız pencere otelin park yerine bakıyordu. Uzaklardan tekerleklerin altında gıcırdayan çakıl taşları, çarpan kapılar, karşılıklı sarf edilen birkaç söz duyuluyordu: yaz gecelerinin gürültüleri. Çarşafını çıkardığımız yatağın üstüne çırılçıplak uzanmıştık, ne uyumak ne de sevişmek geçiyordu içimizden, Hélène ağlayamayacak kadar gergindi. Konuşmak da çok zordu.

Bir ara, sonraki hafta yapmayı tasarladığım Yokohama yolculuğunu iptal edeceğimi söyledim. Yokohama'da bir Fransız sineması festivali var, çektiğim bir filmi tanıtmak için davet edilmiştim oraya. Daha önce hiç Japonya'ya gitmemiştim, bu yolculuk düşüncesi hoşuma gidiyor, hayaller kurduruyordu bana, ama kız kardeşini gömerken Hélène'i yalnız bırakmayacaktım. Canımı sıkan şey, dedim şakayla karışık, Olivier Rolin'in arkadaşlarının ortaklaşa yazacakları kitap için metnimi orada yazmayı düşünmem. Hélène'e bundan söz etmiştim zaten, ama laf arasında. Olivier'yi biraz tanıyordu, ama uzaktan. İkisi de, benim bilmediğim nedenlerden ötürü, ötekinin kendisini sevmediğine inanıyordu, Hélène Olivier'nin onu hoppa, kendini beğenmiş, hoş ama boş bir hatun olarak[1], Olivier de Hélène'in onu durmadan tumturaklı sözler eden bir ayyaş olarak gördüğünü düşünüyordu ve her buluşmada bu yanlış anlamanın ortadan kalkması için birkaç kadeh içilmesi gerekiyordu. Kitabın ilkesini, oda seçimi konusundaki çekincelerimi anlattım. Girişilen işin tarzı biraz karmaşık bir yabancıllık içeren bir otel gerektiriyordu aslında, örneğin Kolima'nın başkenti Magadan'daki Halkların Dostluğu Oteli gibi bir otel.

[1] Hayır. (O.R.)

Magadan dememin nedeni hem Hélène'in o sırada Evgenia Ginzburg'un insanı allak bullak eden anılarını okuması, hem de anımsadığıma göre Olivier'nin kitabının orada başlamasıydı. Aslında, az önce baktım da Katanga'daki Kutup Oteli'nde (Zapolarye Gostinitsa) başlıyormuş. Bu buz gibi, çökmüş ve düşkün alanda, benim elimde yalnızca Kirov'un dışındaki Kotelniç Viyatka Oteli vardı, devlete geçmiş bu otel Brejnev tarzının kusursuz bir örneğini sergiliyordu, açılışından beri tek bir ampulü olsun değiştirilmemiş olsa gerekti ve orada geçirdiğim günleri toplarsam iki ayı geçmezdi. Öteki uçtaysa, gerçekten içinde yaşadım, demek istediğim birkaç haftayı orada geçirdim diyebileceğim başka tek bir otel daha vardı: Hong Kong'daki gösterişli Intercontinental. Orada çektiğim filmin bir sahnesi son derece etkileyici bir koy manzarasına bakan bir odada geçiyordu, ben de işte o odada kalmıştım. Hélène de gelmişti yanıma. Lobide buluştuğumuzda, asansörlerden inip çıkarken, kendimizi *Lost in translation*'da sanabilirdik. Beni Yokohama'da bekleyen otelin de aynı tarzda olduğunu hayal ediyordum ve orada, hoş bir tatil ödevi yapar gibi odayı titizlikle betimleyeceğime söz vermiştim kendime, sonra da başka otel odalarının anılarını ekleyecektim bu betimlemeye, her şey yolunda giderse Tahar Tagul'un ortaya çıkacağı bir anlatının taslağını hazırlayacaktım. "Tahar Tagul kim?" diye sordu Hélène. Anlattım. İki yıl önce, yazın birkaç günü Olivier'yle birlikte Bretagne'da geçirmiştim, onun *Maline* adlı teknesiyle gezmiştik biraz ve tekne telsizinden gelen kesik kesik, cızırtılı çağrıların arasında, biri saatler boyunca Tahar Tagul adındaki biriyle bağlantı kurmaya çalışmıştı. Bayılmıştık bu ada ve o sıralarda *Sırça Otel'de Bir Oda*'yı yazmakta olan Olivier, Tahar Tagul'u kitaba sokmaya karar vermişti: Karanlık işlere bulaşmış kahramanlarının arasına cuk otururdu hani. Ama bunu yapmadı, nedenini bilmiyorum[1], ama bu işe bir çare bulmaya kararlıydım. Tahar Tagul Yokohama'da, şartnamem buydu.

Hélène'i biraz olsun oyalamak amacıyla çene çalıp duruyordum. İçerisi aşırı sıcak olan o odada karşılıklı uzanmıştık, hastanede ölmek üzere olan Juliette'i, onu kollarıyla saran Patrice'i, Juliette ile Hélène'in aynı koridorda üç oda ötede büyük olasılıkla aynı şeyi düşünen annesiyle babasını, küçük kız yataklarındaki küçük kızları, onların, o gece sonsuza dek paramparça olacak küçük kız yaşamlarını düşünüyorduk; bense, bir şey söylemiş olmak için lüks ya da pis otel anılarımı, teknesindeki Olivier'yi ve Tahar Tagul'u sıralıyordum arka arkaya. Hélène anlattıklarımı dinliyor, kimi zaman gülümsüyordu, başka ne yapabilirdi ki? Sanırım bir ara bana şunu diyen de kendisi oldu: Yokohama'ya gitmezsen, bu odayı betimlemekten başka yapabileceğin bir şey yok. Hemen şimdi yapabiliriz bunu, oyalanmış oluruz. Defterimle bir siyah keçeli kalem aldım ve o yazdırırken odanın yüzölçümünün, aşağı yukarı on iki metre kare olduğunu, bütünüyle, tavan da dahil olmak üzere sarıya boyanmış bir kâğıtla kaplı olduğunu not ettim. Sarı bir kâğıt değil ama, diye üsteledi: Aslında beyaz olup sarıya boyanmış bir kâğıttı bu, koca koca, noktalı bir dokumaya öykünen kabartmaları vardı. Ardından ahşap kaplamalara, kapı, pencere çerçevelerine, daha belirgin bir sarıya boyanmış süpürgeliklere ve yatak başlığına geçtik. Toplamda sapsarı bir odaydı bu, çarşafların ve perdelerin üstünde, yatağın üstüne ve karşısına asılmış taşbaskılarda da görülen pembe ve pastel yeşili küçük motifler vardı sadece. Bu taşbaskıların ikisi de, 1995'te Nouvelles Images SA tarafından basılmıştı, hem Matisse etkisini, hem de Yugoslav naif biçemininkini yansıtıyorlardı. Dirseğimin üstüne uzanmış halde, şimdi artık odanın

[1] Çünkü onu kitaba koymamamın daha iyi olacağına ikna ettiler beni. (O.R.)

içinde ileri geri gidip gelen, elektrik prizlerini sayan ve ışıkların farklı yerlerden yakılıp söndürülmesini sağlayan düzeni anlamaya çalışan Hélène'in söylediklerini yazıyordum aceleyle. Çıplaktı, hareket edişini izliyordum, onu arzulamaya başlamıştım. Ama o sadece programı tamamlamayı ve her şeyin listesini çıkarmayı kafaya koymuştu. Ayrıntıları geçiyorum: Her ne kadar çok iyi –ve çok sevimli bir tarzda– bakılmış olsa da, sıradan bir oteldeki sıradan bir odaydı işte. Biraz ilgi çekici olan ve bununla birlikte betimlemesi en zor olan tek şey giriş olarak kullanılan küçük aralıktı. Notlarımı aynen aktarayım: "İki girişli bir gömme dolap, bir kapısı aralığa açılıyor, dik açılı ötekiyse, odalara giden koridora. Üstteki çamaşırlar, alttaki de kahvaltı tepsileri için kullanılan iki raflı bir servis penceresi gibi, hem oraya neyin konması gerektiğini gösteren, hem de onun konup konulmadığının görülmesini sağlayan iki küçük üstlük camına kazılı iki piktogram da bunu gösteriyor." Tam olarak anlaşıldığından emin değilim, yazık. Bu pek yaygın olmayan, gömme dolaba benzeyen şeyin, şu sıkıntılı betimlemeleri kısaltacak bir adı var mı diye sorduk birbirimize. Bu konuda çok iyi olan insanlar var, her alanda ya da en azından bir sürü alanda şeylerin adlarını biliyorlar. Olivier bunlardan biri, kardeşi Jean da öyle. Ben değilim. Hélène benden biraz daha iyi. Biliyorum ki az önce alıntıladığım satırlardaki "üstlük" sözcüğü doğrusu. Bir de şunu biliyorum, onu sevmemin birçok nedeninden biri de o gece "üstlük" sözcüğünü bilmesi ve onu bilinçli olarak kullanması.

Tan söküyordu. Sayımımızı tamamlamıştık ve telefon çalmamıştı. Hélène korkmaya başladı. Tedavi hırsından korkuyordu, kız kardeşi artık hazırken onu alıkoymalarından korkuyordu, doğru anı ona kaçırtmalarından korkuyordu. Onu yatıştırmaya çalıştım. Benim de içim rahat değildi. Perdeleri kapattık, çarşafı üstümüze çektik, kötü uyuduk, ama biraz uyumuş olduk, sarmaş dolaş bir halde. Saat dokuzda telefonun sesine uyandık. Juliette sabahın dördünde ölmüştü. 33 yaşındaydı.

Beş gün sonra cenaze töreni için yeniden Midi Oteli'ne gittik. Aynı odayı tuttuk. O gün bir düğün vardı, beyaz tüllerle bezeli arabalar büyük bir gürültüyle otelin park yerine park ediyorlardı. Bütün yaz boyunca, bir çekmecede sakladım dört sayfalık notlarımı. Düşününce, bu şuncağız sıkıştırılmış bir acının romansı ve oyunlu bir bütünde pek yeri olmaz, başka bir şey yazmam gerek diyordum kendi kendime ama ne yazacağımı bilemedim. Betimlediğim o otel odasıdır, her şey orada olup bitti. Bunun beni nereye götüreceğini bilmiyorum ama olup biten şeylerden başka bir şey yazmayı bilmiyorum artık.

Emmanuel CARRÈRE

7 numaralı oda, Palais Oteli, Palais Sokağı, Montpellier

"Giriş kapısı yaklaşık 1 m x 1,50 m boyutlarındaki ahşap bir basamağa açılıyor, odaya ulaşmak için bu basamaktan inmek gerekiyor, dolayısıyla oda hafif aşağıda. Duvarlar hafif pürtüklü, her yeri aynı tonda olmayan, soluk sarı bir sıvayla kaplı. Tavan beyaz. Döşemelik kumaş küçük çiçek motifleriyle bezeli az çok, sütlü kahverengi zemin üstünde yanık ekmek rengi. Oda aşağı yukarı 4 m x 5 m boyutlarında.

Girişte, soldaki duvar boyunca, birbiri ardına şunlar bulunuyor: Basamaktan hemen sonra, latadan, ayakları çarpık bir bavul sehpası; epey çirkin, turuncuya çalan bir sarı tonunda, ayakları karınlı, ahşap bir masa ve aynı ahşaptan, anlaşılmaz bir renkte (çok soluk pembe, yeşil ve beyaz karışımı) bir kumaşla kaplı bir sandalye; paralelyüzlü, Electrolux marka minibar, onun üstünde Thomson marka küçük bir televizyon. Köşenin yakınlarında, minibarın üstünde, kalın yeşil bir çizgiyle çerçevelenmiş, toprak sarısı asma yaprakları resmedilmiş duvara; yine duvarda, girişin yakınlarında, üç yuvarlak askısı bulunan beyaz ahşaptan bir portmanto ve masanın üstünde, yaldızlı çubukla çerçevelenmiş, camlı bir Salvador Dalí tıpkıbasımı, Cuadro estereoscopico sin terminar, *sırttan bir kadı-*

nın resmini çizen, sırttan görünen bir adam var üstünde, kadın denizci yakalı bir gömlek giymiş, üç sıra inci takmış, yüzünün, arkasında da ressamınkinin (Salvador D.) görüldüğü bir aynanın karşısına oturmuş. Masanın üstüne, soluk pembe bir abajuru olan, yatay olarak pembe beyaz çizgili bir toprak lambayla diş diş bir tekerlek biçimindeki, takma diş pembesi bir kül tablası konmuş. Lambanın altında, küçücük dantel bir masa örtüsü.

Yüksek, kısmen dar, üç dördüllü, çift camlı, iki parçadan oluşan, beyaz çerçeveli ve pirinç kollu pencere kapının karşısında. Neredeyse zeminden tavana kadar uzanıyor. Sandalyeyle ve yeri gelmişken söyleyelim, yatak örtüsüyle aynı tanımlanamaz kumaştan perdeler (yine de bir deneyelim: beyaz yivli yeşil zemin üstünde pembe çiçeğe benzeyen motifler, hepsi çok soluk) pembe-beyaz, kalın halat örgülü kordonlarla toplanmışlar. Pencerenin sağındaki, eski model, dövme demirden, duvarlarla aynı soluk limon sarısına boyanmış radyatörün üstünde beyaz yalancı mermerden bir raf ve yaldızlı çerçeveli söbe bir ayna var. Sağ köşede, daha önce betimlenen masayla aynı ahşaptan (aynı şekilde karınlı) bir başucu sehpası, bir masa örtüsünün üstüne yerleştirilmiş, pembe boyalı ahşaptan, çok hafif ve sallantılı, iğ biçimli küçük bir lambayı taşıyor.

Yatağın dayandığı duvar, yine, tavandan inen iki asmayla süslenmiş: Bunlardan soldaki oldukça uzun ve gür, sağdakiyse daha tıkız. Ortada, yatağın üstünde, avize küpeleriyle bezeli bakır bir aplik iki mum ampul taşıyor. Altta, üstünde açıklamam gereken özel hiçbir şey bulunmayan yatak var, kumaşını betimlemek için elimden geleni zaten yapmıştım. Fildişi renginde bir duvar telefonu başucu sehpasının üstüne sabitlenmiş.

Son duvarda (demek ki giriş kapısının sağındaki), küçük bir giysi dolabını gizleyen, epey gıcırtılı, zikzak biçiminde madeni bir kapı, ardından da baştan aşağı büyük dikdörtgen bir aynayla kaplı banyo kapısı var. Bu kapının üstünde havayı hiçbir şekilde düzenlemeyen havadüzenleyici var, genelde öyle olur ya. Duvarın ortasında, giysi dolabıyla banyo arasında, oldukça münasebetsiz bir kuru çiçek demeti asılmış yaklaşık 2 m yüksekliğe.

Pencere kanatlarının mavi-gri, tek parça ahşaptan olduğunu söylemeyi unuttum. Açıldıklarında, Palais Sokağı görülüyor: biraz pis bir çimenlik, ahşap payandalarla desteklenmiş, açık mor çiçekli üç küçük ağaç ve karşıda zemin katında 'Bir Aile Havası' adlı bir dükkânın açıldığı eski bir apartman. Ayrıca ahşap bir inşaat duvarıyla dikey bir sokağın köşesi görülüyor, bir fırın var orada. Bu kadarı yeter herhalde."

Sıkışık ve zarif bir elyazısıyla, siyah mürekkeple, ucu çok ince olduğu rahatça anlaşılan bir kalemle yazılmış betimleme, Fabre Müzesi'nin değerli resimlerini öven, İtalyan tarzı bir broşürün sayfa kenarlarını dolduruyor, müzenin adı, bu kez kırmızı tükenmezkalemle öfkeli bir yazıyla karalanmış, "Yenileme çalışmaları sırasında, o gerizekâlılar mekânı kapatmışlar, Courbet'yi ya da Delacroix'yı bir daha göremiyorum". O zamandan beri, müze koleksiyonunu zenginleştirdi, Soulages'ın önemli tabloları ve Support/Surfaces grubunun da birçok yapıtı görülebiliyor orada. Madam *** bu broşürü bana yılın başında yolladı, "ortak bir dosttan daha öte birinin anısıyla ", betimlemenin ardından bir öykü gelmediğinden *Sırça Otel'de Bir Oda* baskısına onu katmadığını anlatıyordu (bunun gibi başkaları da vardı, diyordu, seçimi rasgeleymiş sadece, yok canım, beni ne en büyükte, ne de en yabancılda gözü olan, meteliksiz bir sanatçı eskisi olarak görüyor olsa gerek, sizde kavgacı bir kafa yok evladım). Oda değişmemiş, daha doğrusu pek değişmemiş, tablonun yerini düz bir televizyon ekranı almış, dolayısıyla eskiden minibarın üstünde duran televizyonu kaldırmışlar, minibar da yok, odalarda bedava olarak her sabah yenilenen bir litrelik plastik şişelerdeki sudan başka bir şey içmeye izin yok artık, elbette sigara içmek de yasak, çok eskilerde kalmış bir kötü alışkanlık o. Fabre Müzesi'nin broşürünün üstünde, betimlemeyle hiç ilgisi olmayan iki eklenti var, ne var ki bunlar da siyah mürekkeple yazılmışlar. İlki Kabala'yla ya da gökbilimle ilgili: "*Buraya son geldiğimde, üç yıl önceydi. İki palindrom yıl görmüş olacağım, 1991 ve 2002, pek az kuşağa kısmet olan ve binyıl değişimine bağlı bir yazgı bu. Başlayan yüzyıl başkasına tanık olmayacak, çünkü bir sonraki 2112'ye denk geliyor. Yazgımız tabii ki bundan etkilenecekti.*" Ötekiyse, arkada, altta: "*İkilidense bir üçgen beni buraya sürüklüyor. Roma, Paris, Madrid. Altın üçgenin anıları: Gelecek kuşaklar için, Julia'ya bunlardan yeterince söz etmeli. İspanyollara dikkat etmeli.*"

Montpellier'ye iki gün önce geleli beri, aralıksız yağmur yağdı, komşu yapıları silip yok eden ve insanı azıcık uzağa gitme isteğinden vazgeçiren bir perde bu. Mütevazı aydınlatmasının zar zor giderebildiği bir karanlık içindeki dar odadan bıktım. Julia otelin karşısında, en üst katta, bir köşeden ötekine uzanan kapalı balkonla çevrili bir dairede oturuyor. Onun yanına gitmek isterdim ama o buraya gelmeyi yeğledi, önceki günün akşamını ve dün akşamüstünü resepsiyon salonunun küçük bekleme odasında geçirdik, böyle söylerken lüks bir şeyler gelebilir akla, oysa bu otelde her şey hâlâ mütevazı, onun yalnız mı, yoksa biriyle mi (belki bir erkekle ya da bir kadınla) yaşadığını kestiremiyorum. Bir ay önce izini bulduğumda, O.R.'nin ölümünü telefonda haber vermiştim ona, hiç de şaşırmış gibi görünmemişti, ama bunun üstünden üç yıl geçtiğini bilmiyordu ve Bakü adını duyduğunda neredeyse gülümsemişti, bana daha fazla bir şey anlatmak istemeden.

On yıldan daha fazla bir süre önce tanışmış onunla, 2005 sonbaharında, ekim ortasında, biraz da rastlantı eseri, Tiger'ın şansını zorladığını söylemek gerek, Julia Tiger diyordu ona, hâlâ da öyle diyor, her gün aynı saatte bara oturup yırtıcı, aynı zamanda da umutsuz gözlerle Julia'ya dikermiş gözlerini, görünüşteki o sertliğinin ardında bir umutsuzluk varmış onda, bir de tuz tadı, çünkü öğleden sonralarını deniz kıyısında geçirirmiş. Julia bunu söyleyince, kızardı. Tuz yüzünden. Belki de on beş gün ya da daha fazla kalmıştı, doğrusunu söylemek gerekirse Julia onun ne zaman geldiğini asla tam olarak bilememiş, yalnızca günün birinde teknesinden inip hemencecik, epeydir susuzluk çekiyormuş gibi bir beyaz şarap, ardından bakışlarını ondan başka tarafa çevirmeden, hızla bir yenisini ısmarladığını görmüş, sonra da günün birinde ona bıraktığı küçük bavulu alıp hiç haber vermeden ortadan kaybolmuş birdenbire, oysa birinin gelip o bavulu alması ve yerine bir başkasını koyması gerekiyormuş, öğleden biraz önce olmuş bu, her zamanki geliş saatleriyle hiç ilgisi olmayan bir saatte, ondan sonra bir daha onu hiç görmemiş, vedalaşmadan gitmiş, haber de yollamamış, bir tek kartpostallar, yılda en az bir tane, birlikte geçirdikleri ilk gecenin tarihinde, sonuçta bütün geceyi değil, asla birlikte bütün bir gece geçirmemişler, uyumadan önce Julia gidermiş, bu ayrıntıya çok önem veriyor gibiydi, kimi zaman da yabancı ülkelere yaptığı bir yolculuktan yazarmış ona, sonuçta mektup demek fazla kaçar, notunda yalnızca tarih ve imza olurmuş: Tiger.

Olsa olsa otuz yaşındadır Julia, donuk bir ten, incecik, neredeyse köşeli bir siluet, bununla birlikte büyükçe ve sıkı göğüsler, kendisine birazcık Doğulu havası kazandıran gözler ve ince uzun kaşlar, kemirilmiş tırnaklar, konuşmaya başladığında ya da düşünceli göründüğünde, durmadan tırnaklarını yiyor.

Üçüncü akşam, kahve kapanana dek oturmuş Tiger, ardından onu bir yarım saat daha, kasasını kapayana kadar beklemiş ve kentte dolaşmaya çıkmışlar, bölgede genelde, özellikle de sonbaharda olduğu gibi, hava güzel ve sıcakmış, geceyi aynı yedi numaralı odada noktalamışlar, numarayı telefonda sormuştum ona ve otel bu mevsimde kesinlikle dolu olamayacağından, sorun yaşanmadı. Julia bir saat sonra yanıma gelecek. Yemeğe gitmeyi önerdi, saat biraz geç olacak ama mahalleden bir lokantada yer ayırttı, şimdi tiyatroda oynuyor, dört yıldır, çalışmaları akşam saat dokuza doğru bitiyor. *Sırça Otel'de Bir Oda*'nın özgün baskısını bir kenara koyuyorum, kitabın gömleği üst tarafına doğru yırtılmış, yaklaşık üç santimetrelik bir yeri, daha ilerlemeden seloteyp alsam iyi olacak. Sırtüstü uzandım, kuşkusuz Julia'yı, onun o gencecik, narin bedenini ve ondaki, gençlikle ilk birkaç kırışık arası o yüce karışımı düşündüğümden biraz sertleşmişim, *Mémoires d'outre-tombe*'u (Mezar Ötesinden Anılar) okumaya koyuluyorum yeniden, bu kitabı bu yaz rasgele aldım ve yavaş yavaş, günde onar sayfayla yeniden okuyup bitiriyorum. Chateaubriand sınırda, Prag'daki X. Charles'ı ziyaret etmeye hazırlanıyor ama Avusturyalı kaba saba ya da kindar bir gümrük görevlisi onu yolundan alıkoyuyordu. Dolayısıyla şimdi Waldmünchen köyünde kıstırılıp kalmış durumda, handa zaman geçiriyor ve birden, sıkıntıdan, aynı zamanda da kızgınlıktan, odasını betimlemeye karar veriyor. "*Sonraki kuşaklara Waldmünchen'deki han odasında nelerin bulunduğunu anlatmak istiyorum. Ey genç kuşaklar, şunu bilin ki, bu oda İtalyan tarzı büyük bir odaydı, duvarlar çıplak, beyaz badanalıydı, ne ahşap duvar kaplaması, ne de halı vardı içeride, altta geniş renkli süpürgelik ya da sarak, tavanda üç silmeli bir çember, mavi gülbezeklerle ve çikolata rengi bir defne yaprağı tacıyla bezeli korniş, kornişin altında, duvarın üstünde Amerikan yeşili zemin üstüne kırmızı desenli bir burmadal. Bazı yerlerde, çerçeveli Fransız ve İngiliz gravürleri. Beyaz pamuklu kumaştan perdeleri olan iki pencere. Pencerelerin arasında bir ayna. Odanın ortasında en az on iki kişilik bir masa, zeytin yeşili zeminli, gül ve çeşitli çiçek motifleriyle süslü bir muşambayla kaplı. Minderleri ekose kırmızı bir bezle kaplı altı sandalye. Odanın çevresinde bir konsol, üç küçük yatak; bir köşede, kapının yanında, siyah vernikli çini bir soba, üstünde Bavyera armaları var; onun üstünde gotik bir taç biçiminde bir kap duruyor. Kapıda karmaşık demir bir makine bulunuyor, hapishane kapılarını kapatabilecek ve âşıklarla hırsızların maymuncuklarını bozacak türden. Bu listeyi çıkardığım, Cimri'ninkiyle yarışabilecek mükemmel odayı gezginlere işaret ediyorum; Haselbach'ın sarı kızıl dağ keçileri tarafından durdurulabilecek gelecek meşruiyetçilere öneriyorum onu.* Anılar'*ımın bu sayfası çağdaş yazın okulunun hoşuna gidecek.*"

Gözlerime inanamıyorum. O.R. uzun zaman önce, kimi zaman şu broşür gibi olmadık sayfalar üstünde kendi otel odalarını betimlemeye koyulduğunda, bu sayfayı okumuş muydu? Julia kitabın varlığından, dahası O.R.'nin kendisinden yer yer söz ettiğinden bütünüyle habersizdi, kuşkusuz Mélanie Melbourne kadar değil, gelgelelim bazı özelliklerini de ona kazandırmış olması olanaksız değil, o Tiger'la tanıştığında gümrük görevlilerine artık pek sık rastlanmıyordu, Avrupa içinde sınırlar ortadan kalkmıştı, buna karşın, Montpellier'de dönen hikâye ya da kentin kavşak noktasını oluşturduğu iş, maske oyunları için, ülkeden ülkeye para aktarımını gerektiriyordu, İtalyanlar gelecekteki seçim kampanyaları için büyük bir ulusal gazeteyi satın almak amacıyla Fransızların arkasına saklanıyorlardı, İspanyollarsa tuhaf koşullar altında düşürülen eski Başbakanlarına bir başka gazeteyi vermek için İtalyanların arkasına saklanıyorlardı, Fransızlar da Brüksel Komisyonu'nun rekabete zarar verdikleri gerekçesiyle kendilerine verilmesine engel olduğu bir yayın grubunu ele geçirmek amacıyla İspanyolların arkasına saklanıyorlardı. Özetle, her şey iyice düzenlenmişti, birbirine koşut anlaşmalar vardı, elden ele geçirilecek banknot dolu bavullar, hassas değiştokuşlar. Tiger işi biliyordu, soğukkanlı kalmayı beceriyordu, gerçi Julia onun bu işte gözlemci mi, yoksa bir kâr ortağı mı olduğunu pek anlayamamıştı, bavulların dansı bir hafta sürmüştü, hepsi birbirinin aynısıydı, ama ağırlıkları farklıydı, çok farklıydı, bazıları boş gibiydi, Tiger her akşam gelip bir tanesini onun evine bırakıyor, öncekini alıyordu, bunu da hiç anlamıyordu Julia, ama çok da ilgilenmiyordu, yalnızca bu işe karışmış olmaktan ya da sevgilisinin çarçabuk ölmesinden korkuyordu. Geriye kalan zamanlarda, Tiger her gün kumsala gidiyordu, genellikle Aresquiers'ye, orada kıyıda, zümrüt yeşili tenis ayakkabılarıyla ya da kimi zaman yalınayak uzun yürüyüşler yapıyordu, yalnızca ayaktabanının ıslanmasına izin veriyordu, lokantalarla barların çoğu kapalıydı o dönemde, sadece artık kumsalların arkasına, o mevsimde ıssız olan park alanlarına sürülmüş bir iki saz kulübe vardı, oralarda bir bira içiyordu, daha ender olarak da viski, işte günler böyle geçip gidiyordu onun için, kum ve peçeli güneşle dolu saatlerde. Günün birinde bir filme gitti, öğleden sonraki ilk seansa, neredeyse hiç yapraksız, büyük çınarlarla kaplı bir parka bakan bir Sète sinemasına; yirmili yılların başından eski bir von Stroheim filmiydi bu, yine bir sessiz film, *Foolish Wives*, görüntülere bayılmıştı, tıpkı hafif bir sisin ardından gözleri kör eden bir güneş gibi, ana kahraman Sergey Karamzin'in sonu da onu derinden etkilemişti, dolandırıcı kadın avcısı, özürlü kızının ırzına geçmek istediği suç ortağı, Monaco varoşlarından bir kalpazan tarafından bir kanalizasyon ağzına atılıyordu, sonu pisliğe bulanmak olan sahte ama hayranlık uyandırıcı bir zarafet, Tiger bundan birçok kez söz etmişti, sinemaya daha sık gidemediğine, eski filmleri, sadece eskilerini izleyemediğine yanmasına neden olmuştu bu film.

Julia en sonunda odaya gelmeye razı oldu, kendisini yedi yıl geriye götüren bu dekor karşısında düşlere dalmış gibi bir havası vardı, ama aşağıda içtiğim dört kadeh beyaz şarapla kızışmış halde, onu öpmek istediğimde, dudaklarımı onunkilerin üstüne koymaya çalıştığımda, başını çevirdi ve yavaşça, gülümseyerek ellerimden kurtuldu, bir arkadaşıyla yapamayacağını, hayır, bunun olanaksız olduğunu söyledi sadece, komodinin üstündeki gazete yığınına işaret etti, onlardan iki üç tanesini aldı ve bana, Tiger da çok okurdu, dedi, *Corriere della Sera*, *Repubblica*, *El Pais*, *El Mundo*, zaman zaman da *Guardian*, gazete almak için ta gara giderdi, ama asla Fransız gazetesi almazdı, isterseniz yarın sabah yine buluşabiliriz, sonrasında turneye çıkıyorum, beni bulmanız şans doğrusu, derken veda etmek için ya da teselli olsun diye elini omzuma koydu. Üçgen olmaz, diye de ekledi. Antonin Artaud'nun bir deyişini düşündüm, "*susayan o su üçgeni*", sonra da yine aynı yazarın şu dörtlüğünü: "*İşte su üçgeni / yürüyor tahtakurusu adımlarıyla / ama kızışmış tahtakurusunun altında / dönüyor tıpkı bir bıçak gibi.*" Kapı sessizce kapandı, hafif ayak seslerinin merdivende uzaklaştığını duydum. Gece havanın birden soğuyacağı söyleniyor, yarın güneş yeniden ortaya çıkacakmış.

Bernard COMMENT

619 numaralı junior süit, Grand Nordic Hotel, Tromsø

Bana şöyle demişti: "Bir sonraki otel odanı anlat benim için." Otel odalarına takmıştı kafayı. Sanırım, dünya üstündeki en perişan haldeki otel odaları üstüne bir katalog ya da bir rehber hazırlamayı düşlüyordu. Son bir yapıt. Kaçığın tekiydi, ama onu seviyorduk. "Anlat benim için" sözü her şeyi açıklıyordu, ama ne yazık ki benim için dostça bir emirdi bu. Odayı titizlikle, hatta tıbbi anlamda betimlemek gerekiyordu, tıpkı ölümcül bir tümörü inceleyen bir onkolog gibi. Bu konudaki yetersizliğimi ona söylemeye cesaret edememiştim. Flaubert okumalarımdan betimleme korkusu miras kalmıştı bana, ağaçların boyuyla güneşin açısını, çılgına dönmüş ve soğuktan donmuş âşığın başıboş halde gezindiği ağaçlıklı yollardaki çakıllı kumun rengini not eden defter beni dehşete düşürüyordu. Bir şeylerin betimlendiği bölümleri atladım hep. Betimlemeyi bilmem, çünkü öğrenmeyi reddettim. Yazı yazmak tıpkı kunduracılık gibi bir iş.

Bassam Ebu Şerif beni Oslo'nun 1200 kilometre kuzeyindeki, 60.000 nüfuslu, içinde bir de barış için Uluslararası Bir Araştırma Merkezi bulunan Tromsø'ya çağırdı. Kuzey'in Kapısı, Kuzey'in Paris'i. Grand Nordic Hotel'in 619. numaralı *junior* süitindeki, yuvarlak, ahşap (betimlemenin başlangıcı), cilalı (betimleme girişiminin sonu) masanın üstüne bırakılmış bir broşürde aynen böyle yazıyordu. O seçmişti bu odayı, ben de ona asla soru sormam. Kanada gizli servisindeki önemsiz bir irtibat ajanıyım ben yalnızca, görevim gereği Amerikalıların sevmedikleri ya da kendilerine şayan görmedikleri işleri yapmak durumundayım taşeron olarak. Şu "şayan" sözcüğünü seviyorum. Başlangıçta, onunla tanıştığım zaman, Amerikalılar Bassam'ı öldürmek istiyorlardı. 1970'te, Ürdün Çölü'nde üç Boeing'i havaya uçuran Filistin Halk Kurtuluş Cephesi'nin üyesiydi. Kimsenin hayatına mal olmayan harika bir havai fişek gösterisi. Otomatik olarak intikam peşine düşen İsrail, Beyrut'a onun için bir paket yollamıştı, içindeki bomba onun yüzünü haritaya çevirmiş, bir gözünü kör etmiş ve sol kulak zarını patlatmıştı. Bassam bugün çirkin bir adam, çirkinliği ülkesinin çirkinliğini yansıtıyor. Nasıl oldu da Amerikan televizyonunda Kissenger'la konuşabildi, nasıl oldu da düşmanı Arafat'la birleşebildi, nasıl oldu da Oslo anlaşmalarının mimarlarından biri oldu, bilmiyorum ve neredeyse bir mumyayı andıran yüzü ona soru sormama engel oluyor. Tarihin açtığı yaralara meydan okumayı beceremiyorum. Ben değersiz bir gizli ajanım.

Raporlarımda, sözü fazla uzatmamak için, ailesinin 1948'deki terk etmek zorunda kaldığı küçük köydeki zeytin ağaçlarından başka bir şey düşünmeyen iyi bir adam olduğunu yazıyorum onun. Bunun kısmen yanlış olduğunu biliyorum. Ama gizli ajan doğruyu söylemek zorunda değildir.

Peki ama canına yandığım neden bu odayı seçti?

Sarı sapsarı bu oda. Hayır bu oda değil, daha doğrusu bu *junior* süit, çünkü bir salonum ve ondan yine sapsarı bir perdeyle ayrılan bir yatak odam var. Duvarlarda, Norveççe, Rusça ve İngilizce yazılmış dokuz eğitici afişte çetin tuzak avcılığı mesleği, kuzey doğasının nazikliği, fiyortların görkemi, somon akını ve Norveçlilerin ısrarla avlamayı sürdürdükleri balinanın güzelliği anlatılıyor. Hafif solmuş bu sefil sarıyı sevmiyorum, ışıltısız, parıltısız bir sarı bu. Mobilyalardan söz etmedim size, koltuklar gri, yalandan köylü tarzı biçiminde yapılmış çalışma masası ve masalar cilalı ahşap. İnsanları betimleyemezken, neden nesneler betimlensin ki?

İki gündür daralıyorum. Bassam bu odadan bir yere kımıldamamamı buyurdu. Pepe Pizza'dan pizza yiyorum. Norveç'teki birçok otelde olduğu gibi, odalara servis yapan bir pizzacı bu. Arkadaşımın kataloğuna ne ekleyeceğim? Beyaz banyonun seramik kiremitlerinin ısındığını, asma tavanı küf kapladığını ve sağdaki pencereden, sola eğilirsem, Tromsø Adası'nı çevreleyen dağların doruğundaki sonsuz karları izleyebildiğimi not ediyorum.

Pizza ve Şili şarabıyla geçen dört gün, birçok kez minibarıma bu şaraptan koydular, çünkü çok içiyorum. Bunu betimleyebilirim işte: kalın ve unlu bir hamur, dondurulmuş pepperoni, gevşek mantarlar, yumuşak mozzarella, etli asma fidesinden daha çok ağaç yongasından yapılmış bir şarap.

Bassam neden terörizmden siyasete geçti? Aslında işte bunu açıklamam gerekiyor patronlarıma ve yeniden ondan kuşkulanmaya başlayan Amerikalılara. Odayı inceliyorum, onu canlı, ayırt edilebilir kılacak, o oda rehberinde yer almayı hak etmesini sağlayacak sözcükleri arıyorum. Tıkanıp kalıyorum, tüm renkler arasında en nefret ettiğim renk olan şu sarıdan başka bir şey göremiyorum. Sarı, evet, asıl anahtar bu. Sarı, ihanet edenin, soysuzun, ikiyüzlünün, grev kırıcının rengi. Sarı, utancın rengi.

Bassam tüm dünyaya ihanet etti. Sarı onun rengi. Tıpkı Tromsø'daki Grand Nordic Hotel'in 619 numaralı *junior* süiti gibi. Teröristken, terörizme inanmaz oldu ve teröristlere karşı savaştı. Marksist devrimciyken, bu düşüncedeki terslikleri fark edip gerçeklik karşısında saygıyla eğildi, günah çıkartma yerindeki gibi gizlice yapmadı bunu üstelik, birçok müdahale ve yazıyla yansıttı yeni tutumunu. Arabulucuyken, ikiyüzlülüğe tanık oldu, hem kendisinin, hem ötekilerin ikiyüzlülüğüne. Reformcuyken, dinî laf ebeliği alaşağı etti onu. Uzlaştırıcıyken, siyasal açıdan uzlaşmazlıkla öldürüldü. Belki dürüst bir adamdır, yalnızca dürüst, doğru yolu arıyordur, kim bilir? Öyle olsaydı, hatalarına karşın yaşamasını bilen büyük bir adam olurdu, sürekli her şeyi sorgulamasıyla eşsiz bir adam. Öyle bir adam ki, dünyada yitmiş ve yalnızlıktan başka seçeneği kalmamış. Ben de severdim o sarı adamı mücadelelerinin sonunda, oysa kimseden yana değilim ben. Onun sığınma limanlarının huzurunu reddederek, tüm azgın denizlerde seyrettiğini pekâlâ hayal edebiliyorum. Bakıyor ve düşünüyor. Bazen harekete geçmeme zamanıdır.

Raporuma başladım: "Bassam şimdilerde bir işe yaramayan bir oyuncu çünkü kimse ona güvenmiyor, fazla akıllı ve özellikle fazla bağımsız. Onurdan başka hiçbir şeye inanmıyor, onurun da tarafı olmaz. O bir kuş."

Bu son tümce beni şaşırttı çünkü ozan değilim, ardından sarıya lanetler yağdırarak sarhoş bir halde uykuya daldım.

Hardal ve açgözlü ayçiçekleriyle dolu kâbuslar gördüm. Beyrut'tan, Amman'dan, Şam'dan görüntüler. Çarpık ağzına karşın gülümseyen Bassam. Uyandım. Bizleri kurtarmak isteyen o insanları nasıl anlatmalı? Bir kadeh Şili şarabı ve sağ pencereden sola doğru eğilip yalnızca sonsuz karları değil, kuzey tanını da izledikten sonra yeniden bilinçsizliğe daldım.

Kapıya vuruldu. Sendeledim. Bassam gülümsüyordu, çarpık ama tuhaf biçimde yengin bir gülümsemeydi yüzündeki.

"Gel, somon avlayacağız. Devrim emeklisi bir Filistinli için bulabildiğim en egzotik uğraş bu."

"Neden ben?"

"Çünkü sen soru sormuyorsun."

"Neden bu oda?"

"Çünkü eski dostlarım bana sarı derlerdi ve bu benim en sevdiğim renk. Ben tatmin olmuş bir sarıyım."

FOR YOUR EYES ONLY: BASSAM BULUNAMIYOR. NORVEÇLİ BİR MESLEKTAŞIM ONUN ÖLDÜĞÜ KONUSUNDA GÜVENCE VERDİ BANA. 55 YAŞINA ULAŞTIĞIMDAN VE 30 YILDIR BU SERVİSTE ÇALIŞTIĞIMDAN, BUGÜNDEN BAŞLAYARAK EMEKLİYE AYRILDIĞIMI BİLDİRMEK İSTERİM SİZE.

ANTOINE.

Şunu itiraf etmeliyim ki, somon avı, tıpkı devrim gibi, kolay bir etkinlik değil. Bassam'la birlikte mücadeleyi sürdürüyoruz.

Gil COURTEMANCHE

Numarası bilinmeyen oda, Tivoli Oteli, avenida da Liberdade, Lizbon

(Parantezler benim)

O zamanlarda kitabevlerinde yaşanan kıtlığın (söylendiği üzere, bir Fransız artık yılda sadece bir buçuk kitap okuyormuş) ayrıksı şansı (şaşırtıcı demiyorum) *Sırça Otel'de Bir Oda*, her şeye karşın yaygın ve yazın söz konusu olduğunda gerçekliğe onca aç bir kitleye, ondaki yaratıcı gücün ana koşulunu göstermeyi benim için bir görev haline getirdi.

Elbette, Olive Alias'la birçok kez kesişti yolum – geride bıraktığımız yüzyıl boyunca, Sorbonne sıralarındaki felsefe derslerimizi izleyen yıllarda birçok fırsat yakalamıştık – ayrıca örneğin Paris'teki Delavigne Sokağı'nda, *Sırça Otel*'in de değindiği ve benim için (daha çok genç meslektaşlardan beklenebilecek ve benim açımdan yalnızca boşboğazlık olarak görünen bu ağır göz kırpmayı, kalem kırpmayı bağışlarsınız umarım) iki (ya da üç) yıldızlı zina otelleri olarak adlandırdığım diziye girecek Hôtel des Balcons'un 200 numaralı odalarının bulunduğu koridorda rastlaşmıştık; ama bence onun için onca kaynağın asıl kaynağını ortaya çıkaran şey Lizbon'daki karşılaşmamızdı (kitabın, hiç kuşkusuz geç bir tarihte, yayımlanmasının yarattığı üne ve uzlaşımlara, her zaman kaynakları araştıran bir eleştiriyi aydınlatmak amacıyla bugün kendi yorumumu da aralarına kattığım, haklı olarak övgüyle dolu yorumlara yapılan bu hödükçe anıştırmayı da affedin). Portekiz'deki karşılaşmamızdan (Lizbon'da, Özgürlük Bulvarı'nda, içindekiler listesinde adını bulamadığıma şaşırdığım Tivoli'deki karşılaşmamız, ben hiçbir şeyi saptırmadan buluşmamızı büyük bir dergiye anlatmışken bu adın orada geçmemesi anlaşılmaz geliyor bana) gerçekleştiğinde ne kadar iyi düşünülmüş olduğu ortaya çıkan bir tasarı doğdu. 2000 yılının o günü, doğurtma sanatıyla bu kitaba katkıda bulunmakla böbürlenmeyeceğim asla! Bir okurun eğlenmesi ve eleştirinin mesleki doyumu beklenen –itiraf edelim, elverişli– bir ilişkinin doğru olduğuna beni inandırmaya yetiyor da artıyor bile, bir de o akşamdan sonra dostlarımızın gülümsemelerinde gerçekliğine tanık olduğum oyunlu genellemelerin bana sağlayacağı (yazacağım şeyi şu an yazmaktayım), karşı konulması güç haz var işin içinde!

Bir "Pessoa" kolokyumu yüzünden birkaç gün (otelde birkaç gece!) Portekiz'in bu anakentinde kalmıştık. (Ulusal Şiir Derneği'nin açılışı yüzünden miydi yoksa?) Elbette, "bavul", ünlü bavul üstüne şaka üstüne şaka yapıyorduk (doğru anımsıyorsam, sayısız şaka yapılmıştı) - bavul tecellisi, Pessoa'nınki, Roussel'inki, Potocki'ninki ve daha nicelerininki. Yayıncının yazarın ölümünden sonra yayımlanan yapıtlarını, ona ait olduğu tartışmalı yazılarını ve daha pek çok şeyi çıkardığı dipsiz, büyülü bavul. Alias'ın, biraz da benimki olan yayıncısının silueti, konuşmalarımızda (durmadan kadeh kaldırıp duruyorduk bir yandan) elyazması bavullarına pek meraklı biri olarak geçiyordu ve dostum Alias'ın o akşam kendi bavulunu hazırladığına bahse girerim. Kafayı bulmuştu sözlerimiz. Alias'la benim dışımızda (benim tarafımdan gelebilecek hiçbir cilvenin aramızda bir ilişki olduğu söylentisine –öylesine hızlı yayılan bir söylentiye– yol açmayacağı, olasılık dışı bir çift), ünlü romancı Jean Échenil, arada sırada yazarlığa soyunan ve büyük bir ödül kazanmaya can atan Doktor Ruffian (bir yandan bardağımı doldururken bir yandan da çaktırmadan dizlerimi okşuyordu) (doğruya doğru anahtarımı masamızın üstüne koymak gibi bir gevşeklik sergilemiştim, üstünde okunan oda numarası yem gibi çekiyordu insanları). Kanguru Ödülü üstüne bir tartışma patlak verdi. Bence Échenil'le Alias doktoru alt ettiler - sadece ileri sürdüğü kanıtları değil. Bu konu üstünde daha fazla durmak istemiyorum, çok geçmeden odama kapandım. Böylece o (oda) tavladığı kızlara bir yenisini ekleyemedi, bu yüzden de (nedeni bu mu?) bellek tiyatrosunun kendisini konumlandırdığı oda bültenleri koleksiyonuna eklenmedi. Bununla birlikte, Mavi Sakal'ın gömme dolaplarına girmesem de, onun Düşüncesini paylaşıyordum biraz da (platonik açıdan diyeceğim). Özet halinde de olsa, bunu yorumlamak istiyorum, gençlik arkadaşımın Portekiz'deki içki âlemi boyunca zaten bağlantısız olan sözlerini keserek dile getirdiğim değerlendirmeleri, şimdi daha tumturaklı ve daha düzgün bir biçimde yineleyeceğim.

Bu şekilde odayla otelin yarattığı o temel ilişki konusuna geri döndüğümü düşünüyorum. Çünkü otel odası, koridor ve rüyanın ayrıcalıklı bir ilişkisi vardır. Oda, odaların sıralandığı koridora bakar. Koridor Thales teoreminin sezgisidir, algılanabilir benzeşim durumudur. Kara dikgen bavul öykü içindeki öyküye bir üçgen daha kazandırır. "Gezgin" –bir Balzac yapıtının ilk bölümlerindeki kendisinin adı budur–, bir Cocteau meleği gibi ağırlaşmış halde, odalar arasında duraksar.

Odanın iki dışarısı vardır: otelin içiyle "resepsiyon" salonu bölümünden dış dünya. İçerisi labirent oluşturur; karşılaştırıldığında varoluşumuzun özeti ortaya çıkar: Bir açmazdan ötekine gidilir.

Otel odası felsefidir: Leibniz'cidir, *Théodicée*'nin uyurgezerine olduğu gibi, *olabilecek en iyi*'nin seçiminin yürek darlığını verir. Leibniz'ci dünyaların piramitlerindeki gibi, yan oda ya da üst kat, manzarası olan, en büyük çift kişilik yatağı olan, daha güzel bir dolabı olan kıskanılır - içinde oturduğumuzun pekâlâ en iyisi olduğunu bize kanıtlayan *Lucretia'nın Tecavüze Uğraması*'nın bir tıpkıbasımına bakın.

Sık kullanılan dizimler de odayla oteli birbirine bağlayan bu umut ve düş kırıklığı ilişkisini dile yansıtırlar.

Otelde *kalınır*. Oda *tutulur*. Oda *temizlenmemiştir*. Oda *beklenir*: bölgeye ve otelin sıradan ya da lüks olmasına göre saat 10'dan 14'e kadar. Oda *geri verilir*; odadan *çıkılır*. Odadan çıkıldığında, yatak *toplanmamıştır*; örtüler *buruş buruştur*, üstlerine o sabah dökülen süt beyazlığın daha az beyaz görünmesine yol açar (Sappho'nun sevdiği kadının ayrılma anındaki halinden, "galaktos leukotera"dan[1] daha da az beyaz). Portekiz'de bile ispanyoletli olan pencereden, perdeler, tül olanlar kadife olanlar, kaçar. Yere serilmiş havlular banyo kapısının açılmasına engel olur. Gazeteler gazeteliği çökertir. Diş fırçası bardağı ölü küllerinin konduğu kavanozdur (sigara içilmeyen bir oda bu). Okuma lambası açık kalır. *Yurttaş Kane*'in başındaki gibi, daha az buyururcasına olsa da, bir DO NOT DISTURB Xanadu'muzun aranıp taranmasını geciktirir.

Oda rüyaya girer. Oda düşsel olur. Kiralandığı gece gibi, sonsuza dek eşsiz; tipolojiyle birleşir, işte "vardır" sözüyle yazılmış bir şiir.

---

[1] Sütten daha beyaz. (Ç.N.)

Vardır

Paris'te zina odaları dediğim iki yıldızlı odalar
/Anımsamıyorum tartışmamızı benim hatam
Ama kâğıt bükük sırtın
Günün ve dolabın ölüdoğası
Ve seni yeniden göreceğime ilişkin ayaklanmış ağrısız inancım/

Konforlu Amerikan odaları 1900 ağır perdeleriyle, yoğun kadifeleriyle, mezar gibi derin koltuklarıyla, koyu sıcaklığıyla, yaşanacak banyolarıyla eşsiz (7. Cadde / Carnegie)

İmparatorluk odaları: Singapur'daki bir zamanların *Raffles*'ı, onun öylesine oylumlu *dalanı*, tavanında devasa taçyapraklı bir vantilatör, Napoli'deki *Britannia* bir Matisse körfezindeki gibi körfez palmiyeleri üstünde, Capetown'daki *Nelson* Masa Dağı'nın altında, Büyük *İskenderiye Oteli* dövme demirden asansörü holün ortasında, Assuan *Palas*'ı Cataractes Oteli'ndeki Mitterrand'dan söz edilen

Kiralık Ford'a bakan motel odaları, ahşap basamaklar, gri çatı kiremitleri, kraft kâğıdından koca koca torbalar kestane rengi gaz ocaklarının yanında (muffin'ler, Coca Cola Light ve taze büyük yumurtalar), fasulye biçimindeki mavi havuz, kazık ayağın üstünde televizyon... son kez Tucson'da, Wichita'da, Syracuse'da...

Şato odaları, Lecchi Villası no 26, Toscanalı şakakları Caravaggio'nun Bacchus'u gibi Antinori asmalarıyla taçlanmış taraça

Saat 8'de kaçılması gereken berbat odalar, Seul'de tavan akıtacak üstümüze tüm gece, New York'ta Pickwick'te tepemize iki yatak kondu, Washington Square' de bavul bizimle yatmak zorundaydı, Gramercy'de üç yıldır kazı halinde

Geleceğin kabin odaları, Tokyo'da bir tabut, Wall

Street'te öyle otomatik ki klimayı kullanmayı beceremedik, ne de ocağın, TV'nin, duşun, kasanın şifresini çözmeyi; ama Berlin'de tersine Madison Potsdamer'in üstün *desighn*'ı, kumandalı storlar ve hemen hemen diğer hepsinde eksik olan bir şey, dev gibi bir yazı örsü, bir de iki parçalı bir düşünme divanı, kusursuz halojenler

İçinde yaşanabilecek daire biçimli odalar, Côte-des-Neiges'le xxxxxxx Bulvarı'nın köşesindeki, adını hak eden *köşe* odası, Montréal'in üstünde yükselen, on yastıklı, üç büyük masalı, çıplak ayakları içine daldıracak kadar kalın döşemelik halı

İnsanların birbirini gerçekten sevdiği odalar, Aden'de, Rio'daki *Gloria*'da kumsalın ve Santos Dumont Havaalanı'nın üstünde

Gelecek sefere kalınacak odalar, parasının ödenebileceğinden emin olunduğunda, Crillon'da, Ritz'de, Pierre'de, kapılarını sonsuza dek kapatacak olan ve yalnızca parkın üstündeki *Oak Bar*'dan tanıyacağımız Plaza'da...

Michèle DEGUY

20 numaralı oda, Zum Sperber Oteli, Basel

Basel. Zum Sperber Oteli. Giriş kapısı meşe. 20 numaralı oda için geniş denebilir: yedi metreye altı metre. Doğrudan artık var olmayan, kesinlikle hiç var olmamış bir zamana dalıyorum. Öncelikle dikkati çeken şey: ahşap, balmumu ve temiz çamaşır kokusu. İkili kırmızı perdelerle çerçevelenmiş pencereyi açmaya gidiyorum. Ren, Wettsteinbrücke, Mittlererheinbrücke, taş aristokrat evleri, hımış evler ve karşı yakada, kayalık, yüksek bir burnun üstünde kırmızı kumtaşından Münster görülüyor. Ren boz, mavnaların geçtiği yerleri köpük köpük ve hummalı çevrintilerle kıpır kıpır. Ama *Vater Rhein*'ın doğaçlama değil artık akışı, Schaffhouse'nin yakınlarında Neuhausen Çağlayanı'ndan sonra, hareketliliğini yitirmiş. Odanın bir *Heimlichkeit*[1] örneği sunduğunu düşlüyorum. Duvarlar pencere korkuluklarının düzeyine kadar lambri kaplı, gövek rengi boyanmış ve balmumu sürülmüş meşe levhalardan oluşuyorlar. Karmaşık çiçek motifleriyle bezeli soluk gri bir duvar kâğıdı kaplıyor tavandaki lambrili duvarı. Tahminime göre zeminden tavana üç metre var. Tavan, üstüne kenger yaprakları, hafif maviye çalan gülbezekler, soluk sarı renkte tutkal boyayla

---

[1] Almanca "gizlilik" anlamının yanı sıra "huzur, rahat, sükûnet" ve "ev hayatı" anlamlarını taşıyor. (Ç.N.)

resmedilmiş uç uca kalplerle süslü meşe tavan teknelerinden yapılmış. Doğrudan doğruya birleştirilmiş, özenle balmumu sürülüp cilalanmış, kalın parçalı, köknar parke Şirvan bölgesinden bir Kafkas halısıyla kaplı (biçemlenmiş nesneler ve hayvanlarla çevrili, çokrenkli, üç madalyonlu kırmızı zemin). Halı tam gerektiği gibi, olması gerektiği gibi kullanılmış, ölçülü, zarif olmak amacıyla, tam tamına durması gereken yerde bir şekilde. Çift kişilik bir yatak krem rengi bir yatak örtüsüyle kaplı, yatağın iki yanında XVI. Louis tarzı iki komodin, beyaz abajurlu iki lamba var. Ceviz ağacından bir dolap, daha doğrusu bir büfe, giysi dolabı olarak düzenlenmiş, üst üste binen iki bölümden oluşuyor, tepesinde "er şapkası"[1] şeklinde karınlı korniş var. Yamuk biçiminde, arkalıkları düz, ceviz ağacından iki iskemle, yontularak işlenmiş ve kakmalı motiflerle bezenmiş, ikisi de birbirinden farklı dört ayak üstünde duruyor. Çokrenkli süslenmiş bir sandığın üstündeki televizyon yatağın karşısında. Uzaktan kumandayı merak ediyorum. Pencere tarafındaki komodinin üstündeyken kayboldu. Televizyon şimdilerde bir otel odasında olmazsa olmaz bir uyku ilacı. Minibar tuhaf biçimde banyo kapısıyla dolap arasına yerleştirilmiş. Bir bavul sehpası, hiç eksik olmayan kâğıt çöpü ve pencerenin yanında bir masa, onun üstünde "Zum Sperber" antetli mektup kâğıtları, tükenmezkalem, otelin adını taşıyan zarflar ve mevsim meyveleriyle dolu -elmalar, armutlar- bir tabak, ayrıca gri mavi verniklenmiş pişmiş topraktan, eski bir su testisine benzer bir vazoda büyük bir gül demeti. Giriş kapısının yanındaki duvarda iki gravür. Birinde Matter Doruğu, ötekindeyse Brunnen dalgakıranı tarafından görülen ve arka planında Sparmock'la (3199 metre) Rotstock'un (2928

---

[1] *Chapeau de gendarme*; Marangozlukta, bu kavis Napoléon'un askerlerinin şapkalarını andırdığı için bu şekilde adlandırılıyor. (Ç.N.)

metre) karlı doruklarının seçildiği Vierwaldstättersee var. Banyo geniş: altın rengi muslukları olan bir banyo teknesi, Alfred Hitchcock'un *Sapık*'ında, kadın kılığına girmiş Norman Bates (Anthony Perkins) tarafından vahşice bıçaklanan Marion Crane'in (Janet Leigh) arkasında durduğu sefil ama mit olmuş perdeyle hiç ilgisi olmayan bir banyo perdesi; karo kaplı zemin ve duvar, dağ otlaklarındaki inek ve çobanların bulunduğu kır sahneleriyle bezenmiş, lavabonun üstündeki aynanın çevresinde de bir beyaz haç motifi var. Bu otelin adı Schweizerhof olabilirmiş!

Ne var ki banyo malzemelerinin teknik özelliklerini ansıyamıyorum. Ezelden beri gereçleri tanımlamakta, nesnelerin malzemesini betimlemekte zorlanırım. Şimdi boru düzeniyle eğretileme arasındaki sıkı yarıştan söz etmek istiyorum. Boru düzeni doğrudan bağırsakları örnek alarak düzenlenmiş sanki, otelin "bedeni"nin bağırsakları, yapının işleyişinin mekanik gerçekliği: su ve elektrik "temini"yle her türlü dışkının boşaltılması. Daniel Pommereulle, uzun zaman önce, Campagne-Première Sokağı'nın üstünde şafak sökerken ve biz içkili bir geceden çıkarken, alet, iç çamaşırı kataloglarında, Smith&Wesson kataloğunda, *Handguns and more – "Since 1852 Smith & Wesson has been a pioneer in handgun development." Le Chasseur Français* (Fransız Avcı) gibi bir dergide ya da coğrafya atlaslarında, yeni sezonda yayımlanan Fransız romanlarının birçoğundan daha çok şiirsel kaynak bulunduğuna dikkatimi çekmişti.

Acımasızca geçip giden zamana ve sonsuz ana işaret eden yüklüğün içine, bir keman kutusu biçimindeki bir mobilyaya oturtulmuş, fayans toplu, sarkaçlı saatin tiktak sesinin ritim kazandırdığı sıcacık boyutlara, *Heimlichkeit*'a ne demeli ya? Bir yandan da tanınmayan ev sahibine selam vermenin unutulmadığı,

Stub'da[1] bir *Heimlichkeit*... Bu sırada, minibarı ayrıntılı biçimde denetleme gereksinimi duyuyorum. Viski şişeleri, küçük şampanya, beyaz Johannisberg şarabı, kırmızı Blauburgunder şarabı şişeleri, meyve suları, Henniez maden suları... Viski bardağı olmadığından, üstünde Basel kentinin arması bulunan bir şarap kadehine iki küçük viski şişesini boşaltıyorum...

Bir suçun izlerini taşıyan ya da buraya uğramış bir çiftin tadına doyulmaz sevişmelerini anımsayan bir oda. Oda hizmetçisi birden karşıma dikiliyor. İçeri nasıl girdiğini bilmiyorum. Ola ki ben açmışımdır ona kapıyı. Bir "Beyefendi"nin -"*ein Herr*" diyor- odayı görmek istediğini haber veriyor bana. Gelgelelim o Beyefendi de arkasında... Oda hizmetçisinin mavi gözlerindeki gizli cesaret ve eşsiz parıltı, belli belirsiz bir göz işareti... Göz göze geliyoruz... Düş kuruyorum. Yanılgı... Ben göğüs geçirirken, herifçioğlu ortadan kaybolan oda hizmetçisinin yerini almış... Bana hiçbir şey ifade etmeyen bir yüz. Bakır rengi ten, Graubünden'in bazı ücra vadilerinde yaşayan insanlarda sık rastlandığı üzere kırık burun. Yaşamöyküsündeki olası birçok boşluğu açığa vuran kaçamak bir bakışı var adamın. Tam takma ad kullanacak türde bir herif. İrikıyım, ekose bir takım giymiş, kırmızı bordo bir kıravat, tertemiz olmayan, yakası eskimiş bir gömlek. Amerikan bayrağından zemin üstündeki bir *edelweiss*[2] iğnelenmiş ceket yakasına. Almanca konuşan İsviçre kantonlarının şivesiyle konuşuyor belirgin biçimde. Odanın ölçüsünü almak, fotoğraflarını çekmek, planını çıkarmak için gelmiş. Beni rahatsız ettiği için üzgünmüş. Bir yanlış anlamaymış. Bana haber vermeyi unutan otel yönetiminin bir hatası. On dakika sonra tamammış, sadece

[1] (Alm.) Oda. (Ç.N.)
[2] Alpler'de yetişen bir çiçek türü. (Ç.N.)

on dakikacık... Elini çabuk tutacakmış. Odanın planını çıkaracak, filmlerde olduğu gibi, eski Avrupa, eski Nürnberg, eski Basel'i yansıtacak bir dekoru stüdyoda kurabilmek için... Konuşmayı sürdürüyor:

"Efendim. Ben okullardan tiksinirim. Öğretmenlerle ilgili her şeyden iğrenirim. Karmaşık olmasa da seçmeci inancım bu. Bir gerçeklik kıtlığı yaşandığını savunuyorum ve bence, başka çözümler öneren girişimleri incelemelisiniz. Coney Island'daki *Dreamland* ya da Waldorf Astoria'nın tepesindeki *Captain Willy'* nin *Starlight Room*'u düşsel bir teknolojinin ilk adımlarını attılar. Otuzlu yıllarda Hollywood'un en gözde konularından birinin otel olduğunu biliyor musunuz? Bir anlamda senaryo yazarını bir entrika yaratmak zorunluluğundan kurtarıyor denebilir. Müşteriler film yıldızına dönüşüyor, personel de üniformalı bir antik koroya. Müşteri aralıksız olarak değişen bir senaryoya katılma, tüm dekorları kullanma ve filmin öteki yıldızlarıyla buluşma hakkını elde ediyor. XX. yüzyıl otelinin ilk örneği Waldorf Astoria'nın tarihinin seçkin bir uzmanının sözleri bunlar. Çağdaş otel senaryosunda, yan komşu üst odadaki adama dönüşüyor, bu adam alt kattaki odada kalan başına buyruk genç kadına aşkını anlatmak istediğinde, bunu Fred Astaire gibi dans edip ayaklarını yere vurarak yapıyor. Ama sakın bir Waldorf odasıyla bir motelinkini karıştırmayın – gri döşemeler, bej duvarlar, sürekli açık televizyon; oralarda çiçekli bir halı ve üç kuruşluk çerçeveler içinde kuş betimlemeleri olabilir, tıpkı *Sapık*'taki Norman Bates'in motelinde olduğu gibi."

Galler prensi giysileri içindeki davetsiz misafirim, bir yandan konuşurken, diğer yandan da eski bir Leica'yla her açıdan odanın fotoğraflarını çekiyor. Açık bavulumu itip dolabın bakır aksamını *çekmek* için yatağa uzanıyor, daha önce dolabın bu parçalarına dikkat etmemişim. Fotoğraf çekmeyi bırakınca, kapağı

Moleskin siyahı klasik bir deftere notlar alıyor, taslaklar çiziktiriyor.

"Umarım sizi fazla rahatsız etmemişimdir. Ama her ayrıntının ayrı bir önemi var, dekor söz konusu olduğunda. Her ayrıntının. Örneğin bu *Stub*'da, üstüne kahverengi ya da yeşil vernik sürülmüş karolu, Kutsal Kitap'tan sahnelerle ya da Ferdinand Hodler'in çizdiği türden ulusal İsviçre mitolojisinden sahnelerle bezeli bir soba eksik. Bir saniye. Neredeyse bitirdim... Ama yanlış anlamayın, benim derdim sadece bu odanın kopyasını yapmak değil, ne de ona öykünmek. Onu alıp götürmek istiyorum ben! Başka bir Zum Sperber otelinde, XIX. yüzyıl Basel'inin resimsi dekorunda, gerçek boyutlarındaki bir *Stub*'a dönüşmeli. Fenerler asın ve bir havai fişek patlatın. Fifre ve trampet takımları dolanıyor sokaklarda. *Morgenstreich.*[1] *Heimlichkeit*'ı yeniden bulmalı. 'Oda için geniş denebilir: yedi metreye altı... Ahşap, balmumu ve temiz çamaşır kokusu vb.' Ne demek istediğimizi anlıyorsunuz değil mi? Taklit özgünden daha gerçek, sahtesi gerçek olandan daha gerçek vb. Güzel bir heves bu, sizce de öyle değil mi? Biraz ötede mağara adamlarının köyünde bir gece geçirebilirsiniz: dikitleriyle bir mağarayı andıran bir odada... Değil mi ki orada yaşamayacaksınız. Sadece bir süreliğine kalacaksınız... Azıcık bir ışık altında havada asılı gibi duran belli belirsiz mekânlar. Bitik bir biçim, denebilir. Mağara izlenimi, doğal olarak, sürekli olarak bir yeraltı çağlayanının sesini veren bir ses bandıyla pekiştirilecek. Tuvaletlerdeki sifonların çıkardığı ses düşünülebilir. Ayrıca göz aldatma yöntemiyle yapılan freskler de düşünülebilir, bir ekran ve ayna düzeniyle boyutları anlaşılmaz kılınan bir oda, lamba ayağına dönüşen bir dikilitaş, tatlı arabasına dönüştürülen bir lahit... Sabahları sizi uyandırmak için perçin maki-

[1] Basel festivali. (Ç.N.)

neleri ve beton kırıcılar eşliğinde bir orkestra... Vezüv Yanardağı'nın patlaması ve Pompei'nin yok oluşu, Roma'nın çöküşü, tek başlarına ya da ailecek, onları antik Roma'da gezintiye çıkaran odalarda kalmaya hevesli bazı müşterilerimizin çok sevdiği konular. Her şey olanaklı, *Dreamland*'de ve Las Vegas'ta. Her şey olanaklı..."

Rüya berbat bir eklem yangısıyla dağılıyor. Gerçeklik unutulmuş... Üstümdeki örtüyü atıyorum hızla. Odada hayalet yok. İkili perdeleri kapatmamış olduğum için güneş acımasızca uykumu bölmüş. Daha henüz kentin sesleri duyulmuyor. Pencereye gidiyorum. Ren hâlâ orada, bir sis örtüsünün altında boz. Mavna biçiminde birkaç hece izliyor akıntıyı... Leica'lı misafirin genizden gelen sesini duyuyorum. Küçük, boş viski şişeleriyle –saymaya gerek yok!– şarap şişeleri zorlu bir gecenin kanıtı. Başımın içinde zonklayan itiraflar da cabası. Rüya mıydı?... Ama oda hizmetçisi... Gelişindeki çekici hareket. Gecemden elime kalan düşsel bir ganimet mi bu? Bir kahve içmem gerek. Sabahın altısı. Daha çok erken. Gecemin gizemli sonunu sorguluyorum. Sanki tümce kurmak istemezmiş gibi bir hali olan o geveze herifin varlığı. Bir sanrı mı? Bir rüya mı?... Yalnızca oda hizmetçisi bana bu konuda bilgi verebilir. Ama peki biraz sonra temizliğe başlayacak mı?... Ah güzelim hayal, seni görebilecek miyim bir daha? Öğleden önce odayı boşaltmam gerekiyor. Bir duş alıp yeniden yatmaya karar veriyorum, beklerken yapacak başka bir şey yok çünkü. Banyoya girince, lavabonun kenarındaki el çantamdan jiletimi almak isterken, *edelweiss*'ı ve Zum Sperber Oteli'nin 20. numaralı odasını gösteren fotoğrafı buldum.

Michel DEUTSCH

301 numaralı oda, Pansion Čobanija, Saraybosna

> Komünizm iki kırk beş dakika boyunca var oldu, Wembley Stadı'nda, Macarlar İngiltere'yi altı-üç yendiklerinde. İngilizler bireysel oynuyordu. Macarlarsa takım oyunu.
>
> Jean-Luc GODARD, *Notre Musique*

"Conrad futbol oynamazdı" diye yineliyor adam omuz silkerek.

Volkswagen kamyonetin ön tarafında oturuyoruz, o direksiyonda; Adriyatik kıyısında, Neum Limanı'nın kara sularının önündeki park yerinde duruyoruz, Kurtz ise arka koltuğa uzanmış, elleri arkadan kelepçelenmiş, ağzı bantlı. Gecenin sonu. Arabanın göstergelerinin üstüne Thuraya uydu telefonu sabitliyoruz. Pelsejac Yarımadası'nın önünde demir atan bir tekneden çağrı bekliyor ve son Drinalarımızı tüttürüyoruz.

O gecenin sabahında, Kurtz olmadan ikimiz, Saraybosna'da, Miljacka'nın sol yakasında, eğimli Skenderija bölgesinde, Čobanija Oteli'ndeki bir odadayız. Adının Vilo olduğunu söyleyen adam, yatağın üstüne oturmuş, az önce getirdiği DVD oynatıcıyı iki kanatlı, alçak, siyah, melamin bir mobilyanın üstünde duran Philips marka televizyona bağlamaya çalışıyor, bense giriş kapısından başlayarak bu çatı odasının metreyle ölçüsünü alıyorum, kapının arkasında yazan *Jednokrevetna Soba / sa doruckom 80 DM* bu odada yalnızca benim kalmaya hakkım olduğunu bildiriyor açıkça.

Kapının solunda, 55 x 25'lik bir destek ayağının çıkıntısı, üstünde iklimlendirici bulunan, siyah ve altın rengi, plastik çerçeveli bir aynanın asılı durduğu girintiyi düzenliyor. 3,50 m'lik bölmenin ucunda, bir komodinin kara plastik küpü, ardından elimde metrem, üstüne basarak geçtiğim çift kişilik yatak, Vilo'yu öfkelendiriyor bu hareketim, kendisi hâlâ elektrik kablolarına dolanmış halde, iki uzaktan kumanda da yanında duruyor. Şu geniş kenarlı, dümdüz siyah berelerden takıyor, kömür olmuş bir dilbalığı tavandan kopup kafasına konmuş sanki. Yalnızca Başçarşı'daki çok yaşlı Saraybosnalılar, burada *francuzica*, küçük Fransız denen bu berelerden takıyorlar hâlâ. İletişim okullarında, kafasına kömür olmuş bir dilbalığı bulunan bir adamın ağzından çıkan sözlerin başkalarına ister istemez çok saçma geleceği ne kadar tekrarlansa az:

"Oteli mi satın alacaksınız?"

"Siz kendi işinize bakın Vilo. Herkesin bir görevi var."

"Pabuçlarınızı çıkarsaydınız bari."

Uyarısına kulak asmayıp, yatağın öteki tarafından aşağıya iniyorum, dümdüz, dövme demirden radyatör boyunca ilerliyorum, radyatörün önünde siyah metalden, biraz tasarım işi, eklemli bir lamba taşıyan bir komodin var, ardından 210 x 190 boyutundaki banyo kapısını açıyorum: tavan verniklenmiş ahşapla kaplı, iki eğimli, duş kabini metal, beyaza boyanmış, taklit fayans, bir lavabo, bir duvar telefonu, sıcak su tankı. Banyodan çıktığımda, Vilo'nun geçip yanına oturduğu televizyonda bir futbol maçının görüntüleri var. Yanda, vernikli lambrinin ortasında açılmış, eğik Velux çatı penceresinin altına çalışma masasını koymuşlar yerinde bir hareketle, bu pencere odanın tek doğal aydınlatmasını sağlıyor ve gri, yağmurlu gökten, kenarları bir metrelik bir kare gösteriyor.

Önümde çokgen, siyah bir kül tablası, bir paket Drina sigarası, siyah metal bir lamba ve ışıklı koninin altında şu nefis nadir yapıt: Jean Aubry'nin *Joseph Conrad Kongo'da* adlı kitabı, 1925'te Mercure de France tarafından, yazarın imzasını taşıyan elli kopya halinde basılmış. Bu gizli baskının 12 numaralı kitabı bendeki, Vilo yanında DVD oynatıcısıyla geldiğinde notlar alıyordum bu yapıt üstüne, Brüksel'de çıkan *Mouvement géographique*'te yayımlanmış o ölüm haberini kâğıda geçiriyor, Conrad'a Kurtz karakterini esinleyen kişinin kim olduğunu açığa çıkarıyordum: *Klein, Georges, Antoine: Fransız, ticari ajan olarak görev yapmış. 23 Aralık 1888'de Kongo'ya gitmiş. Bir yolculuk sırasında,* Roi des Belges *adlı buharlı gemide 21 Eylül 1890'da ölmüş. Ölüm nedeni geçirdiği dizanteriden sonra ortaya çıkan sıkıntılar. Chumbiri'ye (Bolobo) gömülmüş.*

"Gelin bakın," diyor Vilo.

Ekranda, Saraybosna sokakları Bosna-Hersek milli futbol takımının taraftarları tarafından istila edilmiş halde. 9 Ekim 2004'te, ilk Bosna-Sırbistan maçından önceki öğleden sonra, bu görüntüleri kendisinin çektiğini söylüyor. Marsala-Tita üstünde bir tramvayda tezahürat yapan genç insanlar görülüyor, kimileri de üstü açılan arabalardan öbek öbek fışkırmışlar, eski Gazi Hüsrev Bey Camisi'nin önünde güvercin uçuruyorlar. Derken stada girerken görülüyorlar, Türk güvenlik güçleri tarafından arandıktan sonra tribünlerdeki yerlerini alıp çılgınca tezahürat yapmaya başlıyorlar yeniden. Vilo diski durduruyor, başparmağıyla bir kumandayla oynuyor. Donduruyor:

"İşte adamımız bu," diyor.

Biraz sonra kendisine Kurtz demeye karar vereceğimiz kişinin yüzünü ilk kez görüyordum, avaz avaz bağırdığından ve nefretten biçimi bozulmuş bir yüz bu, saçları kazınmış, kafasının yanında uzun bir yara izi var.

"Savaş ve futbol bitirdi onu" diye devam ediyor Vilo. "Öyle bir top hâkimiyeti hiç görmemiştim daha önce. Bu genç Bosnalı santrafor oynuyordu. 91'de, Hersek'te, Sırplara karşı HVO'da[1] Hırvatların yanında savaştı. Bir yıl sonra, Hırvatlar Bosnalı müttefiklerini sırtlarından bıçakladıklarında, kendi silah arkadaşları tarafından tutuklandı ve bir kampa gönderildi, ardından da hastaneye. 95'te, topa vuracak bile hali yoktu, meslek yaşamı mahvolmuştu. Savaş vurguncularıyla görüşmeye, alkol ve kokain içinde yüzmeye başladı, sonrasında Mostar'a gidip yerleşti, oradaki dolandırıcı çetelerinin başına geçmeyi düşünüyordu. Bayındırlık kredilerini zimmete geçirme, Republika Srpska ile Hersek arasında her türlü kaçakçılık, Sandzak'a gönderilen sahte Birleşmiş Milletler konvoyları. Papadiamantides'le işbirliği içindeki bir tür ticari ajan olmuş. Bugün kontrol edilemeyen bir ticari ajan, Örgüt bizden onu kenara çekmemizi istiyor."

İnsanların içinde onu anmak için hedefimize bir ad koymamız gerektiğinden, Kurtz'ü önerdim. Ya da Klein.

"Kurtz iyi," dedi Vilo.

Bir tekne bizi Neum'da, Dayton Anlaşması'nın, belki de Bolivya'dan onu ayırmak için, denizden tek çıkış noktası olarak Bosna'ya verdiği, o feci yirmi kilometrelik kıyı şeridi üstünde bekleyecekti. Papadiamantides onu Yunanistan'a yanına alacak, yeniden sağlığına kavuşmasını, alkol ve uyuşturucu tedavisi görmesini sağ-

[1] Hırvat Savunma Konseyi. (Ç.N.)

lamaya çalışacaktı, belki de yeniden futbola başlardı.

"İyi bir herif şu Papadiamantides," diye sözünü bağladı Vilo. "İnsanlara kol kanat geriyor..."

"Tıraşı keselim Vilo. Papadiamantides'in dolandırıcının teki olduğunu pekâlâ biliyorum."

Bozulan Vilo diski çıkarıp kabloları söküyor:

"Ya maçın sonucu ne oldu? Bosna-Sırbistan?"

"Nula-nula," diye yanıt veriyor Vilo. "Sıfır-sıfır. Önemli bir olay çıkmadı. Türklerin denetiminde gelişti her şey. Hatta SFOR[1] ile Bosna arasında yapılan ilk maçtakinden daha az şiddet vardı sahada."

Volkswagen kamyonetle Saraybosna'dan ayrıldık, dünyanın en yeşil suyu Neretva boyunca yol alıyoruz. Yaşamının son dönemlerinde Conrad'la dost olan Jean Aubry'nin kitabını okumaya başladım yeniden. Kıvrıntılı dağ yolu, Neretva'nın üstündeki bir çalılığı andıran koyu yeşil duvar, kamyonetimizin Kongo Irmağı üstündeki Marlow vapuru kadar yavaş ilerlediği dar geçitler, yukarılara tırmanıyor ve kesilip kazıklara oturtulmuş siyahi başlarıyla çevrili bir kamp yerinden, karanlıkların yüreğinden Kurtz'ü almaya gidiyoruz. Kırmızı kiremit çatılı beyaz evler. Uçları sivri kurşunkalemlere benzer minareler. Hersek'in içlerine girip Mostar'a yaklaştıkça, manzara daha kuru ve karstlı bir hal alıyor. Sıra sıra, tepeleri sıcak rüzgârda eğilen servilerle süslü tepelerdeki ak kayalar. Yavaş mı yavaş hareket eden Fransız ve İspanyol devriye cipleri. Yol kenarında, sayıları gittikçe artan ucuz meyhaneler kırmızı-beyaz damalı Hırvat bayrakları ve Medjugorje Meryem'i resimleriyle donanmış. Taraçalara oturmuş insanlar bira içmeye, şarkılar söylemeye başlıyorlar, *Hrvatska* atkıları var üstlerinde.

"Bugün fırsatı değerlendirmeliyiz," diyor Vilo,

---

[1] *Stabilization Force* : NATO İstikrar Gücü. (Ç.N.)

"çünkü bugün 17 Ağustos 2005. Bu akşam, sizi temin ederim sizin o Kurtz yara izini anımsayacak."

Yedi yıl öncesiydi, 8 Temmuz 1998, Fransa ile Hırvatistan arasında oynanan dünya kupası yarı final karşılaşmasının olduğu akşam. Mostar o dönemde bir Fransız subayının komutasındaki SFOR birlikleri tarafından kontrol ediliyordu. Askerler Fransız ve İspanyol'du. Kentin stratejik bölgelerine transistorlu radyo taşıyan epey adam koymak gerekmişti, onlara güveniliyordu.

Suker kırk altıncı dakikada Hırvatistan adına ilk golü atmıştı. Ardından, bek oynayan ve Fransa takımında tek bir gol bile atmamış olan o karanlık 15 numara Lilian Thuram iki kez Hırvat filelerini havalandırdı. Maçın hakemi José Manuel García Aranda İspanyol'du, Mostar'da Fransızlara yardım eden birlikler gibi. Son düdük çaldıktan sonra, Hırvat bölgesinden Bosna bölgesine doğru silah sesleri duyulmuştu. Bu kör kurşunlar aralarında bir çocuk, bir de bir kahvede sakin sakin maçı izleyen bir ihtiyarın bulunduğu pek çok insanın ölümüne yol açmıştı. Kurtz araya girmişti sonunda, kendi çetesinden adamlarla kavgaya tutuşmuş, şiddet Mostar'a ve başka yerlere yayılırken dipçik ve bıçak darbeleriyle boğuşmak zorunda kalmıştı. Livno kasabasının belediye başkanı bir horoza Fransız bayrağı renklerinde bir atkı takıp meydanda kafasını kesmişti. Müslüman köylerine gitmek üzere araç konvoyları oluşturulmuştu. Ama SFOR zırhlılarını yerleştirerek araçların köylere ulaşmasını engellemişti, konvoylar da kente geri dönmek zorunda kalmışlardı.

"Peki ya bu akşam niye?"

"Bu akşam 17 Ağustos 2005, heyecan dorukta. Tüm dünya üstünde aynı zamanda oynanacak maçlar var," diyor Vilo. "Burada Brezilya ile Hırvatistan karşılaşacak. Split'te. Hırvatlar Thuram'ın karşılaşmalarına engel olduğu dünya şampiyonlarıyla karşı karşıya gelebilecekler en sonunda. Sizi temin ederim, Kurtz da radyosunun başında kıçını serip oturacaktır, tereyağından kıl çeker gibi olacak onu yakalamak."

Mostar'ın girişinde, kamyoneti bir alışveriş merkezinin park yerine çekti, ev ve bahçe aletleri satan Obi süpermarketinin önünde durup bir rulo bant aldı. Kelepçelerle kurşunlu kauçuk coplar da çantasındaydı.

Planladığımız gibi, başlama vuruşundan beş dakika sonra, Kurtz'ün evine vardık. Adidas atlet giymiş, göbekli, yapağı gibi kokan bir koruma ya da gardiyan kapıyı açtı bize ve Kurtz da kapamamızı işaret etti, bir yere geçip maçı, daha doğrusu maçları izlememizi söyledi. Loş mekân hem bir gecekonduyu, hem de bir ambarı andırıyordu. Sigara kartonlarının üstüne yerleştirilmiş birçok televizyonun her birinde farklı bir karşılaşma gösteriliyordu, küçücük oyuncuların yaşamları buna bağlıymış gibi çılgınca koşturup durdukları, yeşil zeminli, ışıklı dikdörtgenler. Duvarların önünde şu an kullanılmayan silahlar ve çalışan vantilatörler sıralanmıştı. Arkalara bir yere oturup, ekranların değişken ışığında Kurtz'ün profiline bakıyordum.

Bir yıl içinde, daha o sabah görüntülerini izlediğim Bosna-Sırbistan maçından beri, tüm saçları dökülmüştü ve yara izli çıplak kafası karanlığın içinde ışıldıyordu. Alev makinesiyle yanmış gibi duran yüzü hem *Scarface*'teki Al Pacino'yu, hem de yaşamının son dönemindeki Brando'yu akla getiriyordu. Dehşete ve vahşete tanık olmuş, çukurlarına kaçmış, gözkapaksız kırmızı gözleri bir sağdaki Hırvatistan-Brezilya maçına, bir sol ekrandaki Fransa-Fildişi Sahilleri maçına dönüyordu durmadan. Yerde, bir Johnnie Walker şişesinin yanında, alüminyum bir sefertasının içinde biri kullanılmış iki şırınga ve hidrofil pamuk vardı.

Fildişi Sahilleri iki-sıfır yenik duruma düşmüştü bile, Abidjan'da Laurent Gbagbo'nun milislerinin ve Man'a ya da Bouaké'ye doğru daha kuzeydeki isyancıların buna nasıl bir tepki vermiş olduklarını düşünüyordum. Sevinmişler miydi, yoksa ülkenin bölünmesinden beri artık kendi milli takımları olmayan bu takımın bozguna uğramasına üzülüyorlar mıydı? Ya iki taraf arasındaki tampon bölgede bulunan Tekboynuz Harekâtı milisleri, kendilerine misilleme ateşinin açılmasını mı bekliyorlardı? Maçın hemen öncesinde devreye girmeye karar vermiştik ve Vilo'dan bir işaret bekliyordum. Soğukkanlı korumanın ya da gardiyanın yaşlı ensesinin katlarını izliyordum, derken Vilo Kurtz'ün üstüne atıldığında, ben de onun o kepçe kulaklarının arasına indirdim copu.

Neum yolunda, Vilo, artık ayılmış, elleri ve ağzı bağlanmış halde duran Kurtz'ün maç sonuçlarını öğrenmeye hakkı olduğunu bahane ederek, Volkswagen kamyonetin radyosunu açıyor. Ama kendisinin de sonuçları merak ettiği ortada, beklediği bir şey var:

"Bu onu sakinleştirecektir."

Kurtz sucuk gibi terlemiş, titriyor, çenesi kasılıp kalmış, gözleri dönmüş. O 17 Ağustos 2005 akşamı İsveç'in Çek Cumhuriyeti'ni iki bir yendiğini anımsayacak mı?

Gece saat ilerlemiş, sonuçları alma vakti, bir gazeteci fazladan mesaisinin sonlarında tekdüze bir sesle saymaya başlıyor: İsviçre 2 Norveç 0, İspanya 2 Uruguay 0, Portekiz 2 Mısır 0...

"Amma tuhaf, hepsi iki-sıfır," diyor Vilo takılarak.

... Belçika 2 Yunanistan 0.

Banketе çıkan kamyonetin hafif yalpalamasını fark ettiğimde, Vilo takma adını kullanan ve şuraya kadar kusursuz Boşnak rolünü büyük bir profesyonellikle sergileyen bu adamın günün ilk hatasını yapmış olduğunu anladım.

"Bu kadar yeter Papadiamantides."

Birkaç saniyelik sessizlikten sonra, gaz pedalını kökleyip bağırmaya başlıyor:

"Bu herif Zidane ile Pelé'nin birleşimi" diye bağırıyor, "bir futbol tanrısı! Ben böyle top hâkimiyeti görmedim! Hem Garrincha, hem Platini! Onu yeniden antrenmana başlatacağım, bir Yunan pasaportu ayarlayacağım! İki-sıfır, Tanrım ya, olacak şey mi bu, biz Avrupa şampiyonuyuz, hay böyle işin içine edeyim! Belçikalılar bizi götten s.ktiler!"

Gecenin bir vakti, biri kelepçeli, öteki direksiyonda, iki kaçıkla yoldaydım. Sakinliğimi korumaya, sesimi yükseltmeden onunla konuşmaya çalışıyordum:

"Bu herif bir daha top oynayamayacak. Asıl futbol sizi delirtmiş Papadiamantides. Can çekişiyor bu müptela, görmüyor musunuz? Pire'ye varmadan önce, öteki Kurtz gibi, geberip gidecek teknenizde, anlamıyor musunuz?"

Patrick DEVILLE

319 numaralı oda, Semien Oteli, Belay Zeleke Street, Addis Ababa

Beni güç kullanarak yatırdıktan sonra, gözlerime sardıkları geniş yapışkanlı bandı çıkarmadan önce, bir ses elliye kadar sayıp gözlerimi ancak ondan sonra açmamı fısıldadı sert bir şekilde ve kararlı bir ses tonuyla, dediğini yapmazsam başıma daha büyük işler açacağını söyledi, bu işlerin ne olduğunu açıklamadan; karşı çıkmaya cesaret edemedim, saymaya koyuldum. Yirmi ikiye gelmiştim ki kilidin içinde dönen bir anahtar sesi duydum, bunu uzaklaşan ayak seslerinin yankısı izledi, ardından da uzun bir sessizlik, en sonunda cesaretimi toplayıp kırk altıda gözlerimi açtım ve nerede olduğuma baktım.

En basitinden bir otel odasına benziyordu, kuşkusuz bir-iki yıldızlık bir otel, oda on iki metrekareden büyük değildi. Mobilya namına kapının yanındaki, zorla yatırıldığım şu yatak, duvara tutturulmuş bir köşe rafının önünde duran bir sandalye ve bir konsol vardı – tüm bunlar aynı malzemeden yapılmıştı: kirli görünümlü melamin. Zeminde hareli öküz kanı rengi bir linolyum kaplamadan başka bir şey; duvarlarda da bej pütürlü duvar kâğıdı üstünde renkli bir at posteriyle, hastane odalarında rastlandığı üzere, ama televizyonsuz, duvara vidalanmış, çıkmalı bir televizyon dayanağından başka bir şey yoktu. Bulunduğum yerden görünmeyen bir köşede bir duş kabini vardı belki de, sağımdaki kapının arkasınaysa İngilizce-Amhara dilinde çift dilli olarak yazılmış bir yönetmelik asılmıştı, üstünde de otelin adıyla adresi yazılıydı. Benim gibi kaçırılan birini bir otel odasında tutmaları biraz tuhaf geliyordu ama böylesi ayrıntılara takılamayacak kadar derdim vardı zaten.

Doğal olarak üstünde telefon bulunmayan, yatağın yanına sabitlenmiş küçük tahta levha hiç de iç açıcı olmayan tüm bu öğeleri görebileceğiniz kadar ışık veren bir lambayı taşıyordu. Odadaki tek ışık da buydu, çünkü solumda perdesiz bir pencere gördüysem de, sıkı sıkıya kapatılmış bir storla, aralarından yapay ya da doğal bir ışığın geçmesine olanak tanımayacak şekilde tamamıyla sıkıştırılmış latalarla duvar gibi kılınmıştı o. Bu storu açmayı sağlayacak uzun kol da zaten çıkarılmıştı.

Boynumda, duvara tutturulmuş bir halkaya bir zincirle bağlı, köpeklere takılanlara benzer madeni bir tasmayla, yatağın üstünde uzanmış duruyordum –ama şunu da belirtmek gerekir ki, rahatımı düşündüklerinden, bu tasmaya kauçuk bir astar geçirmişlerdi–, uyumaktan başka yapacak pek bir şeyim yoktu, beni buraya neyin getirdiği üstüne düşünerek kendimi yiyip bitirmeye hevesli değildim. En iyisi uyumaktı, kaçırılmamın yarattığı sarsıntı uyumama izin verecek gibi olmasa da, benden aldıkları saatim olmadan geçen zamanı tam olarak kestiremesem de, uyuma vakti gelmiş olmalıydı kesinlikle. Bu açıdan tek sorunsa, yaşadıklarım sırasında hemen farkına varamadığım, ama aslında gerçekten önemli bir sorundu: gürültü, sürekli olarak arkadan gelen korkunç bir gürültü.

Pencereyle storun kapalı olmasına karşın, durmadan, aralıksız olarak bir motor gürlemesi geliyordu. Motor seslerinin yoğunluğuna ve tonuna bakılırsa, ağır yük kamyonları geçiyor olmalıydı, evet evet, koca koca ağır yük kamyonları, bir sürü çok kocaman ağır yük kamyonu, tam bu pencerenin altındaki önemli bir anayolda kesintisiz olarak birbirlerini takip edip feci bir konser veriyorlardı, gürültünün yoğunluğu dört, hatta belki altı yolun burada birleştiğini düşündürüyordu.

Oysa çocukken, okyanusun dibindeki bir yazlıkta, dalgaların düzenli kabarıp alçalmasıyla, onların o huzur veren ritmiyle sallana sallana ve büyük bir keyifle uyuduğumu anımsıyordum: Köpüklü bir sesle kumsalın üstüne yığılıp boylu boyunca uzanan bir önceki dalganın sesine yeni ortaya çıkan bir yenisininki karışıyordu. Onların sesleri, kimi zaman şu kamyonlar kadar güçlü, uğultulu ve gürültülü olsa da, beni uyutmamak şöyle dursun, bir beşik etkisi yaratıyordu üstümde. Ondan beri, ağır yük kamyonu trafiğini aynı şekilde uyutucu bir dalga olarak görmemi engelleyecek hiçbir şey yaşamadım, sakinleştirici bir çalkalanma, huzur veren bir köpüklenme, yeter ki gazlamalarına ve ani frenlerine takılmayayım, özellikle de dalgaların korna çalmadığını unutayım.

Jean ÉCHENOZ

3 numaralı oda, Krasnovodsk Feribot-Oteli, Bakü, Azerbaycan[1]

Odam aslında bir kamara. Krasnovodsk Feribot-Oteli'nde (hemen limanın girişinden önce, deniz kıyısına palamarlanmış, Türkmenistan hattında kullanılan tuhaf bir yapı: Dizel motorları artık yalnızca elektrik üretmekte kullanılıyorlar, pervaneleri de komünizmin çökmesinden bu yana dönmemiş) bunun gibi kamaralardan yaklaşık otuz tane var, otellerdense gemilerde rastlanan ulamlara göre sınıflandırılmışlar: standart, iki ya üç kişilik dış kamaralar; dört kişilik standart iç kamaralar. Standart dış kamara (benimki) feci gıcırdayan ve üç metreye iki metrelik nemli kamaraya geçişi sağlayan su geçirmez bir kapıyla üst güverteye açılıyor, sonuçta oldukça geniş bir kamara, içinde, eskiden kırmızı kadife olduğunu düşündüğüm pembemsi bir örtüyle kaplı, basit, ahşap bir yatak ve bir zamanlar "deniz tuvaleti" ya da "Atlantik tuvaleti" olarak adlandırılanlardan, yüksekliği iki metreden fazla, genişliği altmış santim olan dar bir dolap var yalnızca: Yazı masası şeklindeki metalik bir kapak pul pul dökülmüş lavaboyla kararmış aynayı saklıyor; dolabın

[1] Adsız ve elyazması bu sayfalar Şam'daki Hafız Esad Kütüphanesi'nin müdürü tarafından, Mişel Aflak'ın Baas'ının özgün baskısının içinde bulundu ve hemen konuyla ilgili yetkililere teslim edildi. (Yazarın notu)

altında kullanılmış suların biriktiği bir kap var; üst tarafındaysa, sözüm ona temiz suyla dolu bir rezervuar. Kat görevlisinin -daha doğrusu güverte görevlisi- her sabah, kirli suyu alıp yerine temiz su koymaya zahmet etmeden, birinci kaptaki suyu ikincisine aktarmakla yetindiğinden kuşkulanıyorum - bu sabah kahvaltıdan sonra diş fırçamdan hafif votka ve çiş kokusu aldığım için işkilleniyorum bundan.

Bir köşede, üstünde bavulumun durduğu küçük, çekmeceli bir kasa var. Belgelerle mektubu kraft kâğıdından büyük bir zarfın içine koyup bu kasanın arkasına sakladım, şu toza ve zarfı oraya koyarken keşfettiğim ölü hamamböceklerine bakılırsa, bir on yıl daha herhangi birinin gelip bu kasayı çekeceği yok gibi. Her şey titrek bir neonla ve kapının yanında, limandaki vinçlere ve doğuda, körfezin derinliklerindeki ışıklara bakan bir lombozla aydınlanıyor. Söz konusu olan epey berbat bir gemi koridoru olmasa kat tuvaletleri olarak adlandırılabilecek tuvaletler; duşlardaki su tuzlu ve beyaz fayansın üstünde akarken yanardöner yansımalar yaratıyor, petrolün gökkuşağı renkleri gibi; işletmeci (belki de kaptan demeliyim) bunun Bakü'nün şansı olduğunu ve liman suyunu pompalayan borularla hiçbir ilgisinin olmadığını söyledi bana, o suyun sadece geminin bakımında kullanıldığını ısrarla vurguladı. Oda ücreti gerçekten çok makul. Abşeron Oteli'ne (fazla dikkat çekmemek gerekiyordu) ya da Arakbar'ın kuşkusuz orada dart oynanabildiği için kaldığı, Abşeron'dan da daha dikkat çekici Azerbaycan Oteli'ne göre iyi bir seçenek.

Ne mektubu, ne de belgeleri okudum, onları kasanın arkasına seloteyple tutturmakla yetindim. En iyisi buydu. Mektubun yazıldığı kadının adı bana bir şeyler ifade ediyordu ama ondan daha önce okumaya cesaret edemedim. Kararı yetkililere bırakmayı yeğledim. Nancy'deki Sırça Otel'e, 211 numaralı oda için bir not yazacağım. Notta biraz şifreli bir hayku şeklinde belgelerin nerede olduğunu anlatacağım ve kararı Dernek verecek. Kral öldü, yaşasın kral. Yeni başkan karar verecek. O da olasılık dışı otellerden okyanus-mektuplar yollaya yollaya dünyayı dolaşacak. Sonraki, sonraki, sonrakinin sonraki derken, artık otel odası artık kaçakçı artık casus kalmayacak, yazıya geçirilmemiş hiçbir şey kalmayacak, dünya az çok şiirsel, upuzun bir düzyazıdan ibaret olacak.

Önceki gün odaya vardığımızda, her şey zaten bitmişti; Papadiamantides'in gözleri kıpkırmızıydı, kadeh kadeh sek rakı ya da uzo içiyordu homurdanarak. Vicdan azabının nedenini biliyorum; mumyacının canını dişine takıp çenesine takma diş yapıştırdığı o leş kokulu, kurutulmuş maymun dümenini biliyorum[1]; ama seçme şansı yoktu: Eski ortaklarından kaçmak istiyorsa, ortadan kaybolmalıydı. Papadiamantides ölmüş arkadaşının terekesi karşısında onun geç dirilişine içiyordu.

Ceset yatağın üstündeydi, çokrenkli geometrik motiflerle bezeli korkunç bir örtüye sarılmıştı, gri bir fötr şapka konmuştu yüzüne ve bu şapka baştan savma kefenle, hüngür hüngür ağlayan ayyaş Yunan'la öylesine uyuşmuyordu ki, insanın ağlayası geliyordu. Korkunç ölümlere alışkın olan İskender bile iki eliyle sakalını çekiştiriyordu, koparacak sandım. Temistokles'in kendinden geçtiği koltuğun yanında, bir fiskos masasının üstünde, 9 mm'lik otomatik bir Makarov, bir paket kâğıt ve bir mektup duruyordu. Hepsini aldım. Temistokles yerinden kımıldamadı, sabit gözlerle gecenin içinde ışıldayan körfeze bakıyordu. Biz çıkarken, "yarın, aynı saatte" diye geveleyip kadehini bir kez daha kafaya dikti.

---

[1] Bkz. *Sırça Otel'de Bir Oda*, "Oda 229, Novotel Orisha, Boulevard de la Marina, Kotonu." (Yazarın notu)

Arakbar'la birlikte körkütük sarhoş olmaya gittik, önce kentin tarihi bölümündeki, bir lokantaya çevrilen bir kervansarayda içtik, ardından da bar bar dolaştık, en sonunda da limanın yakınlarında bir meyhanede votka içerek kapattık geceyi, öyle sarhoş olmuşuz ki otelimin güvertesine döndüğümü anımsamıyorum; dün sabah uyandığımda hâlâ giyiniktim, ayakkabılarımdan teki ayağımdaydı ve ağzımda layığıyla çiriş çanağı gibi bir tat vardı. Güvertede kahvaltı ettim, ardından bu kez pijamalarımı giyip yeniden uyudum. Kalkıp iki saat boyunca küpeşteden karanlığa gömülen Bakü Körfezi'ni izledikten, parkları boşaltıp yerlerini ipsizlere ve ayyaşlara bırakan çocukları seyrettikten, limandaki tek tük harekete baktıktan sonra, İskender'in geminin merdiveninin altına geldiğini gördüm.

Abşeron Oteli'ne dek konuşmadan yürüdük.

1123 numaralı odada, şapka baştan savma kefenin üstündeydi hâlâ, Temistokles de yine aynı şekilde koltukta oturuyor, fiskos masasının üstüne koyduğu kadehini tutuyordu, sanki onu önceki günden beri bırakmamış gibiydi. Odadaki tek değişiklik, yatağın yanında açık duran koskocaman sandıktı. Yapmamız gereken şeyi biliyorduk. İnsan istediği kadar pis işlere alışık olsun, bazen yüreğiniz el vermiyor. Birden ağzıma yine çiriş çanağı tadı geldi.

"Son zamanlarda şişmanladı herif," dedi Arakbar cesedi kaldırırken.

En genç olan benim, ayakları ben tuttum. Sandığa girmesi için onu biraz kıvırmak gerekiyordu. Şapkayı karnının üstüne koyduk, her sefer aynı şeyi yapacak değiliz ya; Arakbar kapağı kapatmadan önce gizlice bir şey attı içeri, ciltli küçük bir kitap ya da deri kaplı bir matara gibi geldi bana.

Papadiamantides ayağa kalktı.

Sandığı omzumuza aldık. Holde, bir otel hizmetçisi biraz para karşılığında bize bir yük arabası verdi; dubalı köprüye kadar arabayı sürdük, kayık hazırdı. Birçok kez devrilme tehlikesi atlatıp yükü kayığa iyi kötü yerleştirmeyi başardık. Arakbar, tam bir Suriyeli olduğu için, çok kötü kürek çekiyor, bu işi benim üstlenmem gerekti. Yaşlı Yunan korsanı ağzını açmadı. Teknesi körfezde, yakınlarda duruyordu; ağlayan bir kadın gibi gıcırdayan bir palanga yardımıyla sandığı kaldırdık.

Temistokles bize başıyla bir işaret yaptı, güverteye çıktı, yeniden küreklere sarıldım. Teknesini hazırlayışını seyrettik; Papadiamantides son bir kaçakçılık işine doğru uzaklaşıyordu.

Cebimde, Makarov öyle ağırdı ki, bir ara, bizi batıracağını düşündüm.

Mathias ENARD

İlk kattaki oda, Croc du Chien Hanı, Saint-Marcel de Carreiret yakınlarında Sarban, Cèze Vadisi

Oda sade. Kapının altında, bir kedi deliği. Dikdörtgen oda altı metreye dört metre. Açıklama aptalca çünkü o dönemde kimse böyle ölçüm yapmazdı. Yerdeki karolar yer yer toynak izleriyle çökmüş, toprak rengi ve altın sarısı bir görüntü veriyor bu hali ona. Duvarlar boylu boyunca daha iyi korunmuş durumda, Mısır'ın pembe mercimekleri gibi tatlı tatlı balkıyorlar. Güneyde, duvarın üstünde iki tane kanatlı pencere, tavanın altında, epeyi yüksekte duran küçücük bir çatı penceresinin karşısında. Çatı penceresi güneşin kendisine verdiğini dağıtıyor oraya buraya kimi zaman. Söbe açıtın altında, sırtını duvara vermiş mekân değerleniyor. Hafif solda, yuvarlak bir masa, rengi iyiden iyiye atmış ama sağlam; ahşabından bazı parçalar kopmuş, sanki biri ondan almış öfkesini. Sağda, pembeye çalan, hareli kumaş yastıklı uzun bir kanepe. Buruşuk, uçucu ve ölgün beyaz çaputlarla, dantellerle, kıvrıntılı gipürlerle dolu üstü, bazısı yere serilmiş, atılmış gibi adeta. İster istemez âşıkların zaman zaman büründükleri o özensiz hava geliyor akla; aynı zamanda mutluluğun, son kertesinde hissettirmeden azalmaya başladığı anları da andırıyorlar.

Daha ötede, sağ kolda, bir delik. Hafifçe karoya taşan ve insanı aşağıya inmeye davet eden bir merdiven fark ediyorum. Mum ve mürekkep kokan, dar bir hücre bu.

Geniş ve sağlam yatak uykuya alışık. Üstünde, süs olsun diye, dikişleri şimdiden çok eskimiş Bretagne tülünden uzun bir işleme. Yatağın etrafında, özel biçimde, doğrudan duvara yazılar yazılmış, imler pek anlaşılır değil. Şunları seçebiliyorum: bir haç, bir nokta, bir iskambil işareti, bezgin bir kedi, bir maske. Hepsi mor kırmızı. Başka bir yerde, bir maça ası, bir şeytan başı, bir soru işaretine dolanan noktalı virgüller, kanatlı bir akrep. Hepsi kömürkalemle yapılmış. Koyu kırmızı ve sıcak kadife kokusu sarıyor odayı ve hücreyi, uzaklarda bir akasya ve hayatta kalmaya çalışan üç kırışık nilüferin bir araya geldiği bir gölet olduğu anlaşılıyor.

Aude'dan gelip İspanya'yı gezdikten ve Bidassoa'yı aştıktan sonra, her yıl olduğu gibi buraya geldim. Tek başıma, hayvan sırtında: Yapacağım iş değil aslında, ben ki ne yolculukları, ne de yalnızlığı severim. Yemeğin hazır olduğunu haber vermesi gereken hancıyı beklerken çantamı koyuyorum. Gün, gördüğüm kadarıyla, gerçekten yorgun. Hiç yok hareket edesi.

Bu tümceyi yazmakta acele ettim: Bir toz bulutu kirletiyor camları ve atların çektiği arabaların tekerlek sesleri duyuluyor. Arabacının şatafatlı arabaya daha iyi hâkim olabilmek için arkaya doğru kaykıldığını görüyorum. Hancı kafasını uzatıyor aralık kapıdan: "Geldi. Daha sonra bekliyordum onları. Olmaz da diyemem. Bunu bana sorun etmeyin şimdi. Biraz sıkışabilirsiniz sonuçta. Size eküleri geri vereceğim. Tanrı beni korusun." Yeniden aşağı indi bile.

Odamı bilmediğim birine bırakıp aletlerin yığılı durduğu sundurmaya gittim. Bu kez, üç koyunla bir kedi uyuyor orada sarmaş dolaş halde.

Sonraki hafta boyunca, hışırtılar ve hafif ayak

sesleri duydum, genç kız sesleri karışıyordu yumuşak başlı denebilecek bir adamın sesine. Ayrıca gözyaşları ve birkaç kahkaha. Her çarşamba olduğu gibi balya, sorgun bir sepet içine tıkışmış dört köpek yavrusu ve o gün bir şövale yüklü posta atları geldi. Pencerelerden, çizgili eteklikli ve dantel başlıklı basit karaltılar görüyordum, bir sabah hızlı bir ense ve onun hapisten kaçışı. Bir çıkrık da varmış gibi geliyordu bana ve masanın ahşabına konan çanaklarla toprak çömleğin sesini dinlemeyi seviyordum. Burada ne olup bittiğini anlamaya çalışmak dışında yapacak bir şey gelmiyordu aklıma: Capcanlı sabahtan ağustos böceklerinin en son ve kısa vedalarına başladıkları ana kadar uyanıktım.

Tüm bunlar uzun zaman boyunca sürdü. İstemeye istemeye bir odanın, içinde oturmadığım odamın tutsağı oluyor, birer birer odadan kaçıp gidiveren izlenimlerin esiri haline geliyordum. Bağ turuncuya dönerken ağır üzüm salkımları toprağa değiyorlardı. Uzaklardan, bir öğleden sonranın başlangıcında, bir başka gezinti arabasının -menekşe rengi- geldiğini gördüm, anakapının önünde durdu; odamın yolcuları doluştu içine. Bir tek şövale arkaya kondu, kalın bir halatla bağlanmıştı. Saklanıp günlerimi geçirdiğim akasyanın içinden, safran sarısı ve leylak rengine çalan, gri renkte iki eteklik görebildim, bir de bir erkek ceketinin mor yen süslerini. Hepsi bu.

Sonunda oda yeniden benim oldu, kapısını ittim. Beyazdı. Geçmek bilmeyen zaman, bir türlü ortaya çıkmayan anılar gibi, aynı zamanda acı ya da olanaksız sevinç gibi. Beyaz: Her şey oradaydı: zarafet ve endişe, renklerin karmaşası, ölü kuş, kol ve el deseninin doğruluğu, pamuklu önlük ve yuvarlak yüzlü utangaç genç kızın yüzü, civciv tutan kadın kollarının çukuru, kaymaklı süt dolu toprak çömlek yine. Saydam boya ve tüyleri karmakarışık köpek yavruları. Oturan bir genç kadın kendinden emin ve soğuk adama bakarak önlüğünde ekmek parçaları taşıyordu. Uzamın bir düzeni varsa, o da hareketsizlik ve sessizlikti, ama duygulanım ve arzu da vardı. Bir evlilik sahnesiydi bu ve öylesine sevdiğim için yakından tanıyordum onu, sık sık onu düşünür, onda içe dalış ve özlemi bulurdum. Üstelik, bu insanlar kimi zaman gözkapaklarını kıpırdatmaları dışında hareket etmeseler de yaşıyorlardı. Artık kendilerinin olan odamın dekorunu dolduruyorlardı ve ustanın resmine konu olduklarından, hiç aceleleri yoktu. Toprak çömleğinin üstüne eğilmiş çamaşırcı kız çamaşır sıkıyor elleriyle. Cazibeli, hoppa belki. Bunu düşünmeye cesaret edemiyorum. Yataktaki adam anımsadığımdan daha olgun, yastıklara dayanmış. Onunla, biraz hüzün ve rahatlama. Ellerinde, büyük olasılıkla, anımsadığım gibi, genç kızın çeyizini imzaladığı bir yazı takımı. Renkler bozulmuş. Unutulduğundan alışılmadık gelen çıkrık yerde sürünüyor.

İşte bu doğruydu ve yanılmamıştım: Greuze, birkaç dakika önce, bu odadaydı ve fırçalarını temizliyordu. Bir daha dönmeyeceğini bilmeden ayrıldı buradan, yarattığı insanları da beraberinde götürdü ve derken aynı anda bana bıraktı onları, Diderot'nun birkaç yalın sayfası dışında (*Salonlar*, 1765, 1769) "pek sevilmeyen" Greuze. Yere sarmıştı boyalarını, dokunaklı olduğu kadar aydınlık pozlar üstünde çalıştı, sonradan fazla vurgulu bulundu bunlar, ya da daha doğrusu -ben böyle düşünüyorum- yanlış anlaşıldı, Greuze tutkularla öfkeleri, yüzyılın sevgileriyle sarhoşluklarını, Aydınlanma Çağı'na eşlik eden duyguları öyle bir coşkuyla, öyle eşsiz biçimde bir araya getirdi ki...

Hepsini kucaklıyorum: Greuze'ün tablosunu, odamı, orada bırakılmış, hâlâ yaşayan karakterleri; köpek yavrularının ürümesini duyuyor, ölü kuşun azıcık aralanmış gagasını görüyorum. Yavuklunun yanakları kızarmış biraz.

Sabran'da, Cróc du Chien Hanı'nda, "imge saf, bütünlük kurtulmuş".[1] Sevgilim, bana söylendiğine göre, yarın geri dönecek.

Arlette FARGE

[1] Diderot, *Salonlar*. (Yazarın notu)

258 numaralı oda, Waldhaus Oteli, Sils-Maria

Giriş kapısı yaklaşık 1,5 metreye 2,5 metrelik bir hole bakıyor. Zemin yeşil-mavi, camgöbeğiyle petrol mavisi arasında, bej motifli bir döşemelik halıyla kaplı. Bir portmantonun altında, karlı ayakkabıları koymak için bir saydam plastik. Tıpkı duvarlar ve tavan gibi beyaza boyanmış kapının karşısında, kendimi ayakta, astarlı, kalın mor giysilere sarınıp sarmalanmış, yanaklarımla burnum soğuktan kıpkırmızı olmuş, gözlerim kocaman bir güneş gözlüğünün arkasına gizlenmiş halde gördüğüm büyük bir ayna var. Soldaki duvar beyaza boyanmış ahşap bir dolapla kaplı bütünüyle. Ondan sonraki duvar banyo kapısıyla kesiliyor. Birazcık yanda, aynanın solunda, oda kapısı açılıyor. Oda yaklaşık 5 x 6 metre boyutlarında. Açık meşe rengi parkenin üstünde lacivert ve kan kırmızısı tonlarında, Doğu motifleriyle bezeli iki geniş halı duruyor. Biri yatağın altına, öteki çevresinde bir divanla bir koltuğun bulunduğu alçak masanın altına çekilmiş. Sağdaki duvar boyunca mavi bir kumaşla kaplı bir bavul sehpası ve bir bölümünde minibar olan, meyve ağacından, çekmeceli bir mobilya var. Aynı zamanda çekmeceleri de olan bu mobilyanın üstüne markasını anımsamadığım bir televizyon yerleştirilmiş. Biraz daha ötede aynı meyve ağacından (kuş kirazı belki) çerçeveli bir aynanın altında bir çalışma masası duruyor, masanın üstünde krem rengi bir abajur, Alcatel marka tuşlu bir telefon, içinde turistik ilanlar, mektup kâğıtları ve otelin düzeniyle, yemek saatleri ya da havuzun açılış saatleriyle ilgili birtakım broşürler bulunan, otelin armasını taşıyan bir zarf var. Bu duvara, bir sonbahar manzarasından bir ayrıntının, dallarla rüzgârın alıp götürdüğü ölü yaprakların camlı, büyük bir fotoğrafı asılmış.

Giriş kapısının karşısındaki duvarda dikdörtgen ikili bir pencere, onun üstünde de çember yayı biçiminde, açılmayan bir cam var. Tüller gizliyor dağ ve karaçam manzarasını; koyu yeşil, toprak rengi ve su yeşili geniş çizgileri olan ikili perdeler, ördek yeşili ve nane yeşili geometrik motiflerle bezeli bir kumaşla kaplı, iki kişilik bir divanın etrafını sarıyorlar. Divanın önüne, ayakları siyah metalden, çift camlı bir masa konmuş. İsviçre markası –Walzer– bir maden suyu şişesi, taze meyveyle, kuru meyveyle ve içinde dört tane bademşekeri bulunan bir kutuyla dolu bir tabak var üstünde. Masanın kısa kenarında çok hoş iki yeşili birbirine karıştıran, betimlenmesi güç bir motifle bezenmiş bir kumaşla kaplı büyük bir koltuk bulunuyor. Köşede, koltukla divanın arasında, kuş kirazından, kare, ikinci bir alçak masanın üstünde, gri-bej abajurlu büyük bir lambayla Engadin'in kış sporları, lokantaları ve barlarıyla ilgili dergiler var. Alfred Hitchcock tatillerini Sankt Moritz'de geçirirmiş. Hiç kar görmemekle böbürlenir, kaldığı otelin barından öteye gitmezmiş. Masanın üstünde aynı fotoğrafçının bir başka fotoğrafı asılı; günbatımında, gökyüzü kararmadan önce mora çaldığında, Sils Gölü'nün çevresindeki dağların karaltısı görülüyor fotoğrafta.

Soldaki duvarda, üstüne kalın, ince bej motifli, kirli beyaz bir örtü atılmış iki kişilik bir yatak var. Bunun üstünde de üçüncü bir fotoğraf var: çok yakın plandan, beyaz ve yünsü taçyapraklarının göründüğü, *edelweiss* çiçekleri. Yatak beyaza boyanmış iki dolabın arasına sokulmuş; aynı boyayla boyanmış ahşap bir rafın üstüne ikinci bir tuşlu telefon konmuş. Yaldızlı metalden iki eklemli lamba duruyor yatağın iki tarafında.

Uzanıyorum. Yatak örtüsüne sarınıyorum. Hemencecik uykuya dalıyorum. Rüya görüyorum. Altmışlı yıllarda, **Montana'daki Monte-Sano Pansiyonu'nun 5 numaralı odası**ndayım. Aşağı yukarı dört yaşındayım, belki de beş. Annemle babam oteldeki diğer yetişkinlerle birlikte komşu köyde raklet[1] yemeye gidiyorlar. Tek başına kalmayı kabul edersem bana bir armağan getireceklerine söz veriyorlar. Gizemli buluşmalarına giderken, hemen uyumamı öğütlüyorlar. Uyuyamıyorum. Hiçbir armağanın beni avutabilecek kadar güzel olamayacağını düşünüp uzun süre ağlıyorum. Yorgunluktan bitip tükenince uykuya dalıyorum. Ertesi sabah, oteldeki bütün küçük topluluk heyecan içinde, oyuncu Gina Lollobrigida'nın yan masasında yemek yemişler ama kadın ünlü göğüslerinin üstüne boğazlı bir kazak giymiş. Annemle babama beni bıraktıkları için kızıyorum. Bana söz verdikleri armağanı alıyorum, adını bilmediğim bir nesne bu, yün iplikleri ondan geçirildiğinde, hoş bir pli oluşturmaya yarıyor. Canım çok sıkılıyor. Kendimi ihanet edilmiş hissediyorum.

Sıçrayarak uyanıyorum, ağzımda acı bir tat. Alçak masanın üstündeki dört şekerlemeyi yiyorum. Birazcık su içiyorum. Monte-Sano Pansiyonu'ndaki o mütevazı odayı iyi anımsıyorum. Otelin zemin katındaydı, binanın arka tarafındaki uzun koridora bakan üç odalık bir dizinin sonuncusuydu. Annemle babam verandada

[1] İsviçre peyniriyle hazırlanan bir yemek. (Ç.N.)

öteki müşterilerle çene çalarken, odada bir başıma, kendimi çok da yalnız hissetmezdim. Ahşap kapı beyaza boyanmıştı, zeminse ayaklarımızın altında gıcırdayan ve ayakkabılıysak kayan bir parkeyle kaplıydı. Oda çift kişilik büyük yatağın durduğu bir alanla, benim yatağımın musandırada gibi sokuşturulduğu bir ek bölüme bölünmüştü. Annemle babamın yatağının başucunda sarı ahşaptan iki komodin vardı, küçük yatağın yanında da bir tane duruyordu. Komodinlerin üstünde lambalar vardı, herkes önemsiz, gündelik eşyasını koyuyordu üstlerine: mendiller, saatler, gözlükler, kitaplar ya da oyuncak ayılar. Banyo yoktu, büyük odanın bir köşesinde bir lavabo bulunuyordu yalnızca. Koridorda bir tuvalet vardı, soğuk olurdu orası. Odaysa iyi ısıtılıyordu, hatta belki biraz fazla. Çocukken, hava insana hep çok sıcak geliyor. Kahvaltı etmek için, bir ahşap masa ve üç iskemle vardı. Akşamüstü, gezdikten, kayak yaptıktan ya da patenle kaydıktan sonra, o masaya oturup dama, iskambil, yedi aile oyunu[1] ve Almanca "*Mensch ärgere Dich nicht*" adını taşıyan ve sizi yerinizden edip "yiyebilecek" bir başka oyuncuya yakalanmadan, masanın tablasını kat etmeye dayanan bir oyun oynardık. Bu oyunda amaç, altı piyonunu korumak ve onları özel bir alana götürmekti. Verandada olduğu gibi, odadaki bazı pencerelerin de saydam olmadığını, safran sarısı ve koyu mavi, neredeyse mor renkli olduğunu anımsıyorum. Neden çocukluğumdan kalma o otel odasını gördüm ki rüyamda? Aşağı yukarı yüzyıllık bir büyük otele giderek ona ihanet mi ettim?

Solumdaki, üstünde çerçevesi ahşaptan üçlü pencereye bakıyorum. Odanın tüm pencereleri soğuğu kessin diye çift camlı. Sağa doğru bakıldığında, büyük bir dikdörtgen biçimindeki paten alanı ve Alpenrose'un karaltısıyla Sils kasabası görülüyor. Uzaklarda

[1] Özel kartlarla oynanan bir oyun. (Ç.N.)

Nietzsche'nin 1881'le 1888 arasında, birbiri ardına yedi yaz geçirdiği küçük ev seçiliyor. Batıya bakan, alçak tavanlı ve daracık birinci katta kalıyormuş, içinde bir yatak, bir masa, bir iskemle ve bir dolaptan başka bir şey olmayan yoksul bir odada. Kendisini yakından tanıyan İsviçreli bir kadın, Mata von Salis, 1897'de yayımlanan bir kitapta, Friedrich Nietzsche'nin Chastè Yarımadası'nın yosunlu yollarını, Isola'ya kadar mavi ve derin göl boyunca uzanan yolları arşınlamayı sevdiğini, *Zerdüşt*'ünü yazmak için esini orada bulduğunu anlatıyor. Nietzsche bu yere bir şiir adadı:

Sils-Maria
Oturmuş bekliyordum beklemeden
İyiyle kötünün ötesinde,
Tadını çıkara çıkara hem gölgenin hem ışığın.
Tasasız bir oyundu sadece hepsi
Göl, öğle, ve amaçsızca askıya alınmış zaman...
İşte o zaman, arkadaşım, bir iki oldu:
Yanımdan Zerdüşt geçti.

Waldhaus'un iki otelcisi, Urs Kienberger ve Felix Dietrich, buraya geldiğimde bana, oda anahtarlarıyla birlikte, Paul Raabe'nin bir kitabının Fransızca çevirisiyle (*Sur les pas de Nietzsche à Sils Maria* [Sils Maria'da Nietzsche'nin İzinde]), otelin tarihi üstüne bir kitap verdiler. *Le Waldhaus 1908-1983. Scènes de la vie d'un grand hôtel* (Waldhaus 1908-1983. Büyük Bir Otelin Yaşamından Sahneler). İkisini de karıştırdım, derken ikincisinde otelde kalmış ünlü adları içeren bir liste buldum: Thomas Mann (1950'de ve 1954'te), Alberto Moravia (1951), Hermann Hesse (1949'la 1961 arasında her yıl), Arthur Honegger, Dinu Lipatti, Clara Haskil, Albert Einstein (1927) vb. Ama gelecek kuşaklar bu listede O.R.'nin Kamçatka'da kaçırıldıktan sonra İsviçre'ye dinlenmeye gelen iki bayan arkadaşı,

Mélanie Melbourne ve Pashmina Pachelbel'in adlarını bulacaklar. Saat 17'de onlarla otelin barında buluşacağım.

Hâlâ kayak kıyafetleri içindeler, biri pembe, öteki fuşya, fermuarlarını bayağı indirmişler. Yakaları çok açık, bir akşamüstü için fazla makyajlılar, ama kesinlikle çekici ve çok canlı görünüyorlar. Masalarına oturup çay içiyorum, onlarsa viskiyle kafa çekiyor ve çay içmemi eleştiriyorlar. Havadan sudan konuşuyoruz –bir diktatörün ikiz oğulları, Barabas'la Pomdapi'den, hep süslü püslü olan Şimelk'ten–, sonra hemencecik kendisiyle birlikte dünya üstündeki otel odalarını gezdikleri, ortak dostumuz O.R.'den söz etmeye başlıyoruz. *Sırça Otel'de Bir Oda* adlı kitabıyla ilgili ona sormak istediğim birkaç soru var, en başta da şu: Makaron kızkardeşlerin makaron kurabiyelerini kim yedi?

Otelin üçlüsü Verdi'den ezgiler çalıyor. Parmaklarımın ucuyla tempo tutuyorum. Pashmina çevremizdeki tüm erkeklere ısrarlı bakışlar atıyor. Mélanie buna alınıyor sanki, üstünü değiştirmeye odasına gideceğini söyleyerek kalkıyor. Pashmina da peşinden gidiyor. Oturduğum yerde, dalgın bir halde, 1936'da ve 1937'de hemen yakınlardaki Laret Villası'nda iki yaz kalmış olan Anne Frank'ı düşünmeye başlıyorum. Aynı zamanda Sils-Maria'ya dolaşmaya gelen Proust'la Celan'ı anımsıyorum.

Lydia FLEM

Tek oda, Malabo Oteli, Malabo

Otel hizmetçisi, gizlice, Malabo Oteli'nin ortasındaki, tek odaya buyur etti beni. Birden ışığı yaktı ve kendimi birbirinden aynalarla ayrılan kafeslerden oluşmuş bir salonda buluverdim.

Mekânın ortasında hemen dikkat çeken yatak, buranın gerçekten bir oda olduğunu doğruluyordu. Burma silmeli, tropikal bölgelere uyarlanmış, XV. Louis tarzı, devasa ve yüksek bir mobilyaydı bu. Lal brokardan bir karyola sayvanı görülüyordu bu kral yatağının üstünde. Sayvanı taşıyan maun sütunların üstüne hayvan figürleri yontulmuştu: ince ince işlenmiş göbekli öküzburunlar, timsahlar, mambalar, şebekler. Brokarın üzerinde baskılar vardı, erotik motiflerle süslenmişti: çiftleşen yarı tanrılar, okapi-adamlar, antilop-kadınlar, erdişi maymunsularla ikiz ya da yapışık çitalar, dev hibiskuslar ve koskocaman benekli kelebekler. Bitkiler, hayvanlar, canavarlar doğaüstü çiftleşme sahnelerinde bir araya gelmişlerdi. Kumaşın üstüne eğildiğimde, daha küçük, kimisi ufacık başka figürler keşfediyordum durmadan; bilinmeyen kuşlar, sayısız kuyruklu sürüngenler, kanatlı adamlar, tavus kuşu kadınlar, dişi Kentaurlar ve karma yaratıkların çiftleşmelerini betimliyorlardı. İşlemelere dokunmak, tıpkı dokusuyla size baş döndürücü bir sıcaklık veren bir ten gibi, insanda hoş, kösnül, uyarıcı bir his uyandırıyordu. Azıcık miskli bir koku sarıyordu etrafınızı... Yatak dokunaçlı ve etli bir bitkiye dönüşüyor, organlarıyla, dilleriyle, dişilik organlarıyla, tatlı kıvrımlarıyla, kabarcıklarıyla, kızarmış çeperleriyle yapışıveriyordu üstünüze...

Böylesi bir görüntü, ne kadar büyüleyici olursa olsun, yatağın birkaç metre uzağına bir çember halinde serpiştirilmiş kafesleri görünmez kılmaya yetmiyordu. Hele her bir kafeste capcanlı bir hayvan varken. İlkinden bir aslan bakıyordu bana, çevik, hem kocaman hem küçük, güneş biçimli yelesiyle süslü. İkincisindeyse parlak, bir hayli yağlı, ışıl ışıl sarı pullarla beneklenmiş iriyarı bir piton kıvrılıyordu. Formunun zirvesindeki bu yılan hain ve kötücül somağını zarif biçimde bana doğru kaldırıyordu. Tüyleri pırıl pırıl, kalçaları ayrık, kıpkırmızı ve çıplak etle şişkin, güzel bir şebek –yatağın dokusunu akla getiriyordu bir yandan– bana işveli olsa da hayvanca kaş göz işaretleri yapıyordu. Ayrıca sıcacık bir kahverengi tonunda, neredeyse kırmızı, kalçaları etli butlu bir okapi vardı... Göğüs kemiği kıyamet meleğininkini andıran bir balıkçı kartal... Bu kurumlu hayvanların arkasında durduğu parmaklıklar yüzyıl sonundan, özentili bir tarzda, arabeskler ve çiçekli bezeklerle süslenmiş, ince, altın yaldızlı demirlerini örüyorlardı. Üstüne Kutsal Kitap'tan, mitolojiden sahneler, Yudit'in, Sodom'un, Lilit'in, yıkanan Suzanna'nın öyküleri, gülünçlükler, yarışlar, törenler, üstünden oluk oluk kanlar akan Bat-Şeba'nın teşhiri, sedefli Marilyn, tüylü Lolita, yeniyetme ve çıplak Madam Mao vb. işlenmiş, silmeli ve lake bir çerçeve içindeki, kakmalı bir aynayla ayrılmıştı her kafes komşusundan. Yakından bakıldığında, yine, göze ilk çarpan figürlerin arasından yeni imgeler fışkırıyordu, kahramanların yaşadığı zamanlardan yeni öyküler anlatıyorlardı: kocaman ve parlak kırmızı sağrısıyla çiftleşmeyi daha da belirgin kılan aynı savaş atı üstünde bir araya gelmiş, Jeanne d'Arc'la Gilles de Rais'nin kucaklaşması... Ne var ki, yanlış bir nokta dikkatimi çekti: Kötü sinemacıların sık sık başvurdukları bir konu, İsa ile Mecdelli Meryem'in üst üste binmesi; bir yandan da, doğrusu, hayat kadınının Tiziano, Klimt tarzı saçları kızıl dalgalarını yanındaki figürlerin üstüne savuruyor, onlara erotik ve kutsal bir aura kazandırıyordu. Bununla birlikte, çırılçıplak *La Gioconda* Marquis de Sade'ın üstüne işiyordu, bu sıradan bir imgelemin ürünüydü. Ama altın sarısı sidikten, Mecdelli Meryem'in ortalığa dökülmüş yelesini anımsatan çalkantılı bir buhar çıkıyordu... Porno mangaların çiğ tarzında, incelikten uzak biçimde işlenmiş başka iki üç müstehcen grubu geçiyorum.

Banyonun yeri, aynalardan birini döndüren fildişi küreden bir kapı koluyla belirtilmişti. Mekân geniş, kara ve parlak mermerle kaplı bir banyoya açılıyordu. Pembe küvet devasa yılan ağzını faraş gibi açmıştı. Musluklar gaga, mitolojik penis, kösnül ve açgözlü böcek hortumu biçimindeydiler. Sabunlar tombul, Proust'un *madeleine*'leri gibi damarlıydı; kalın deniz kabuklarının içine yerleştirilmişlerdi.

Kapısını aralık bırakıp bu korkutucu yerde pusuya yattım. Ücretimi ödeyen Mélanie Melbourne'un bana verdiği, tek kurşunlu tabancayı kılıfından çıkardım. Bu kadar az cephanemin olmasına şaşırdım. Ama Mélanie'nin verdiği görevler her zaman biraz tuhaf ve ayinsel olurdu.

Malabolu Cléo'yu bekliyordum: Adanın Dördüncü Gine adıyla anılan bu bölümünü yöneten diktatörün sevgilisini. Aslında, Gine'nin yazgısı matruşka gibiydi... Bir gerçek Gine vardı, bir Gine-Bissau, bir de Ekvator Gine'si. Zaten üç ediyordu... Kaldı ki Malabo'da bir darbe patlak vermiş, adanın bölünmesine ve dördüncü bir Gine'nin doğmasına neden olmuştu. Buralar yataktaki, parmaklıklardaki, ayna çerçevelerindeki motiflerin de gösterdiği üzere sürekli bir bölünerek çoğalma seyri izlemekteydi sanki. Sersemletici bir klonlama...

Asıl Cléo'nun dediği oluyordu. Zorba ona bütünüyle boyun eğmişti. Mélanie kadının öldürülmesi halinde, rejimin tehlikeye düşeceğini biliyordu. Böylece Ginelerin tehlikeli biçimde çoğalması önlenebilirdi, bu bölünme hastalığı öyle bulaşıcı bir şeydi ki bir ayna oyunuyla Monaco'yu, Mali'yi, Malavi'yi, Madagaskar'ı da etkisi altına alabilirdi... Mélanie Melbourne'un kanatlı bir varlığı gizleyen bir takma ad olduğundan kuşkulanıyordum, bacakları ve kalçaları, dev bir Amazon gibi, bir yontu sütun gibi, öyle ince uzundu ki; başıysa bir ayçiçeği gibi parlak sarı renkte, hayvansı ve gür bir yeleyle donanmıştı, göğüslerini bir tür üniseks likra tulumun içinde görünmez kılıyordu her zaman, ve o oynak bir yuvarlaklığa, kıpır kıpır dişi bir söbeliğe sahip olsa da çıkık, güçlü, sıkı, kaslı kıçı... Kim bilir nasıl bir genetik simyanın, ne tür kahramanların çiftleşmesinin ürünü olan handiyse kozmik bir yumurta...

Cléo'nun, haftada bir kez, Malabo Oteli'ne, kafeslerin ve o koca koca hayvanlarının ortasına çekilmek gibi bir âdeti vardı. Kendisinin ölümlülerin bilemeyeceği alışkanlıkları olduğuna inanılıyordu. Malabo'nun ender direyini korumak için mücadele veren ekoloji uzmanları ve hayvan bilimciler Cléo'nun sapkınlıklarını şiddetli biçimde eleştiriyorlar, yeniyetme şebeklerle, *hoplites*[1] kalçalı, ergenliğe yeni girmiş okapilerle şehvet oyunları oynadığından kuşkulanıyorlardı. Hayvanlara işkence yapmakla, kamçıyla vurmakla, karmaşık fetişizmlerle, görülmemiş, yasaya aykırı, hayvan biçimli dildolar kullanmakla, antilopların ırzına geçip öldürmekle, tavus kuşlarının tüylerini yolup kafalarını uçurmakla, her türlüsünden sözle anlatıla-

---

[1] Eski Yunan'da zırhlı piyade. (Ç.N.)

mayacak kurban etme, yakma töreniyle, lanetle suçlanıyordu. Direye başlangıçtaki masumiyetini kazandırmam gerekiyordu.

Aralık kapıdan, içerisini gözlüyordum... Derken, birdenbire, lal bir şebeğin kıpırdandığını, düğüm olduğunu, parçalanıp, ikiye ayrıldığını gördüm sandım... Gizlendiğim yerden çıkıp ne olup bittiğini daha yakından görmek istedim. Yaklaştım... Yatak dalgalanıyordu sanki... Hem korkudan ödüm patlıyor, hem de adada meydana gelen beklenmedik olayların beni gizliden gizliye büyülediği ölçüde, önüne geçilemez bir merak hissediyordum. İşte o anda, yatağın çevresinde titreşen imgenin çizgileri içinde, bir böceğin, koskocaman ve saydam bir hayvanın neredeyse soyut hatlarını fark ettim. Oydu işte! Emindim bundan, demek soyu hâlâ tükenmemişti! Hayvan bilimcilerin çabaları da böylece açıklanmış oluyordu... Evet ya, karşımda, Malabo'nun dev sopa çekirgesi beliriyordu bir hayalet gibi titreye titreye. Efsanevi hayvan, Cléo'nun hayvanlarının şahı!

Dev sopa çekirgesinin gizemli özellikleri üstüne adada eskiden beri söylentiler dolaşıyordu, onun bir nesneye yaklaştığında, çılgınca bir hızla nesnenin biçimini aldığı söyleniyordu. Sopa çekirgesiyle bukalemun karması, ikiye bölündüğünden beri ikiye bölünmeyi hızlandıran, kışkırtan Malabo'ya, şu Dördüncü Gine'ye özgü bir tür... Cléo'nun ikiye bölünmesi de bunun bir örneğiydi.

Yeniden gizlendim. Bu yeni bilmece beni tir tir titretiyordu öte yandan. Cléo'nun bu devasa ve yarı saydam sopa çekirgesiyle ne tür oyunlar oynadığını hayal etmeye cesaret edemiyordum! Mélanie'nin yanaşıp kandırdığı, satın aldığı hizmetçi, aslan üç kez kükreyince Cléo'nun geleceğini söylemişti. İkisi arasındaki bir işaretti bu. Canavarların selamlaşması...

Ansızın büyük bir gürültü koptu, çocukluğumuzda, akşamları, heyecanlı kız kardeşlerim pazar yerine yerleştirilmiş kafeslerin miskli kokusunu içlerine çekerken, sirklerden yükselen ve sanki alacakaranlık uzamı, çan kulesiyle masum köy evlerini yutmak isteyen o kızılca kıyameti andırıyordu bu ses. Aynı boğuk patırtıydı bu, aynı kösnül savaş narasıydı, adı da Cléo'ydu. Çocukluğun derinliklerinden gelen bu bulanık anılar o an içinde bulunduğum duruma karışarak beni sersemletiyor, ikiye bölüyordu... Aslan, doğduğum köy, zorba kraliçe, lal rengi yatak, evlenme çağındaki kız kardeşlerim... Freud'un savlarına gerçek anlamda hiç ilgi göstermedim, ama bu bastırılmış, şaşırtıcı anıların geri dönüşünü artık engelleyemediğimi itiraf etmeme gerek var mı?

Bunun üstüne Cléo çıkageldi kükremelerin içinden. Odanın ortasında belirdi. İnce ve siyah deriden, kısa bir tunik giymiş bir devdi adeta. Kızıl saçları böğrüne kadar iniyordu dalga dalga. Teni, yazın ortasında olmamıza karşın, sütsü beyazlığını korumuştu, derinin kara ve yapışkan dekoltesinde, dimdik, sımsıkı meme uçlarının çevresinde balkımış beyazlık nasıl korkutucu bir mucizenin eseriydi, bilinmez.

Aslanla bilinmeyen bir dilde konuşuyordu, boğuk ve tatlı bir şekilde. Yırtıcı hayvan da canavarca bir şehvetin değişken kükremeleriyle yanıt veriyordu ona.

Kısa tuniğini çıkardı... Çırılçıplak gördüm onu, ama beni gerçekten kör eden şu ışık parlamaları varken görmekten söz edilebilir miydi? Türün, her çeşit betimlemenin ötesinde bir kadın sanrısıydı karşımdaki, tenin aşırılığı, onun tohumlarının, kıvrımlarının, kaslarının, etlerinin, lirlerinin, iğ ipliklerinin ham ve tartımlı zenginliği... Pubis'in kızıl ve azgın çatalı, bu kadife görünümlü hayali, o çizgilerin, o kavislerin, o yılankavi mavi damarlı, nefis baklavalı karnın, dimdik göğüslerin konserini ikiye bölüyordu. Bu şişkin meme uçlarını hangi açgözlü eşekarıları sokmuş, emmişti acaba? Arkasını döndü ve kalbimin birden durduğu, soluğumun kesildiği gecenin içinde, adeta can çekişirken, nasıl tarif edeceğimi bilmediğim bir uçurumun dibinden, yerlilerin "Malabo'nun çatısı" olarak adlandırdıkları şeyi gördüm... kıçını!.. Öncelikle o omurga, o piton, o dans eden sırtın yıldırım çizgisi, o halkalar, böbreklerin üstünden akıp giden o sel, cenneti andıran bir gülümsemeyle ayrılan kalçaların o kösnül cömertliği. Akın ediyorlar, çağlıyorlar, ışıyorlar, bir şehvet titremesiyle etrafa taze meyve kokuları yayıyorlar, ikiz ve yapışık ikiz olarak çoğalıyorlar, durmadan kendi dalgalarından yeniden doğuyorlar, çokluklarından keyif alıyorlar, derken sirenler gibi, yine o dalgaya dalıp bir kez daha sayısız, kalın, eşsiz kavis, esmer, cehennemsi yarığın çevresinde sonsuz Dante çemberleri yaratıyorlardı...

Bu iki büklüm yaşam pınarını, bu yüce ahtapotu gebertmem gerekiyordu... Dolu tabancamı kaldırdım, sırtına, kalbinin seviyesine nişan aldım, ama birden, Cléo titremeye başladı, görüntüsü sarsılıyordu, sonra ikiye bölünüverdi. Şimdi karşımda, iki tane Malabolu Cléo vardı! Hangisi gerçek olandı, hangisini zımbalamalıydım tek kurşunumla?

Büyük olasılıkla Cléo'nun çıplak bedenine yaklaşıp onun tıpkısı bir yansımaya dönüşen dev sopa çekirgesinin işiydi bu. Bir saniye geçmemişti ki, iki kadından birinin ötekinden daha net, daha da güzel olduğunu, teninin daha parlak, daha ışıltılı, daha derin, kusursuz güzellikte olduğunu fark ettim... tabii böylesi sıra dışı bir güzellik karşılaştırmasında böyle bir şey söylenebilirse. Belki de birilerinin uyardığı Cléo bana tuzak kurdu diye düşündüm... Mantığımla hareket edersem, daha gerçek, daha aşikâr, daha canlı Cléo'yu vurabilirdim. Ama bu gerçeğinin hayali de olabilirdi yalnızca. Artık ne yapacağımı bilmez olmuştum. İçime bir kurt düşmüştü. İhanete uğramıştım. Mélanie şu tek kurşun davasıyla beni aldatmıştı. Mélanie

Melbourne'un güzelliğiyle Cléo'nunki arasında bedensel bir benzerlik kurulmaya başlamıştı gizliden gizliye, nasıl ikircilli bir akrabalıktı, nasıl bir koca kalçalı esnek bakışımdı, nasıl bulaşıcı bir ateş ve beyazlıktı bu böyle!.. Alev gibi yavaş yavaş dalgalanıyorlardı. Tuzağa düşmemeye, daha az parlak olan Cléo'yu öldürmeye karar verdim, gerçek olanı... belki! Daha gerçek olanı, oysa öteki... Nişan aldım, ateş ettim, aslan kükredi, ansızın onun kükreyişinin mekanizmasını harekete geçirdiğim duygusuna kapıldım. Derken nefis, hayvani ve yalpak, inişli çıkışlı, billursu bir kahkaha patladı, etrafa yayıldı, aynalara sıçradı, şen şakrak dalgalar halinde yansıdı... Afallamış halde, bana doğru dönmüş olan üç tane Malabolu Cléo gördüm, üç çatal yeri, üç parıl parıl ateş, baklavalı karınlardan, uzun ve şişkin kalçalardan, dik meme uçlarından oluşmuş bir çığ... Üç Cléo da gülüyordu, canavarsı ve saf bir halleri vardı, tek bir kor okyanus halinde birbirine karışmış, açık yelelerinin görkemiyle bana doğru ilerliyorlardı. Kutsal kahkahaları öleceğime olduğu gibi kurtulacağıma da işaret olabilirdi. Kafeslerin açıldığını, değerli demirlerinin bilezik gibi, muska gibi tıkırdadığını duydum... Hayvanlar kayıp gidiyorlar, dışarı çıkıyorlardı, pullar, postlar, tüyler... Kösnül ve acımasız sürü kalabalıklaşıyor, Malabo'nun üç kraliçesine eşlik ediyordu.

Patrick GRAINVILLE

441 numaralı oda, Steigenberger Oteli, Los-Angeles-Platz, 10789 Berlin

Koridora dönmek için çok geç, belki o koridor üstüne bir çift laf etmek gerekirdi ama bu olanaksız artık. Çok uzun, döşemeli olduğunu, bazı yerlerinde kapı kollarına bağlanıp terk edilmiş köpekler gibi yampiri duran iki üç servis arabasının bulunduğunu, asansör seslerinin duyulduğunu, yangın söndürme aletlerinin parıldadığını anımsıyorum (üstünden çok da zaman geçmedi) ve bir daha asla oraya geri dönemeyeceğimi biliyorum. İşimi yapmamak için bir bahane değil bu, O.R.'ye bir oda vereceğime söz verdim, buyursun.

441 numaralı oda, katta sigara içilmez olmayan ender odalardan biri. Ben sigara içmesem de, bunu bir insancıllık işareti olarak görüyorum. Kapı pirinç bir yarığa sokulan ve titrek yeşil bir lede kumanda eden bir manyetik kartla açılıyor ve bir kapı arkası lastiği kapının fazla sert açılması halinde soldaki mobilyaya çarpmasını engelliyor. Benim hatam asıl onu fazla çabuk kapatmak oldu. Yaklaşık iki metrelik küçük bir koridora açılıyor (banyonun genişliğine eşit bir uzunluk), kapının arkasına, kendisine bakan müşteriyi hissettirmeden ve çok kibarca ince göstersin diye azıcık içbükey bir ayna tutturulmuş. Hoş bir şey ama şunu bilin ki şu an başka dertler var.

Bu girişin zemini, tıpkı odanınki gibi, görünmeyen eşkenar dörtgenlerin köşelerini gösteren, düzenli aralıklarla serpiştirilmiş sarı çiçeklerle beneklenmiş mavi bir döşemelikle kaplı; yerden birkaç santimetre yukarıya kadar duvara da tırmanıyor, süpürgelik niyetine. Evet ya, kapıyı arkamdan kapatmadan önce düşünmem gerekirdi.

Koridorun sol tarafı baştan sona, mutfakta olsa "ankastre" denecek, bir dizi gömme dolapla kaplı, yüzleri "Karelya huşu" tarzı, masif ahşapla kaplı, menteşeleri çıkık ve kulpları fırçalanmış çelikten. Bu bütünün iki tarafında, içinde bir giysilik bulunan birer sütun var, sağdakinde temizleme fiyatları, bir dikiş kutusu (ilkyardım), başparmak da dahil olmak üzere hiçbir parmak için ayrı bir yeri olmayan, ama üstünde bütün bir el resmi bulunan bir çift eldiven; ayakkabıları parlatmaya yarayan, kâğıt bir bakım eldiveni duruyor. Bu iki giysiliğin arasında, zemin düzeyindeki, kapalı yerden çok korkmayan bir çocuğun yatırılabileceği kadar büyük bir çekmecenin üstünü, ince marangoz işini çizmeden bavulların konabileceği metalik raylarla destekli, diz seviyesinde bir platform kapatıyor. Onun üstünde de, iki kapılı bir dolap var: Sağ tarafta "minibar" tarzı, Electrolux marka bir buzdolabı, sessizliğine bakılırsa "absorbsiyonlu" olarak adlandırılan sistemle çalışıyor, ağzına kadar çeşit çeşit küçük şişeyle (soğuk içecekler ve içkiler), birazcık da çikolatayla dolu, içindekilerin listesiyse dolabın sol tarafına sıkıştırılmış; takımları bozulmuş ve temiz beş bardak, iki paket yerfıstığı, bir açacak ve şifre konulacak bir kasa, ama gözlüklerim yanımda değil. Bu girişin tavanı, üstünde iki halojen spot bulunan, boyalı metalik levhalardan oluşan bir asma tavan yüzünden basık, klimanın mırıldandığı hava cirit atıyor orada. İş bu girişin banyo kapısının iki yanındaki sağ duvarında, sağda, bir elektrik düğmesi, yangın durumunda yapılması gerekenler listesi (kişisel ısıtıcı kullanmayın) ve bir kaçış planı asılı; bu planın, ne yazık ki, yangın çıkmamış olmasına karşın, bize hiçbir yardımı dokunmayacak; solda üç elektrik düğmesi, gömme dolapların hırdavatına uygun iki giysi askısı ve süpürgelik yerinde, öykünün devamına etki etmeyecek bir elektrik prizi var. Bu ayrıntılar neye yarayacak? Bu rapor hangi tozlu kâğıt yığınının üstüne konup unutulacak, hangi arşivin zindanında kaybolacak? Ama sipariş sipariştir, istihbarat memuru da istihbarat memuru. Hele benim durumumda, açıkgözlülük etmenin zamanı değil, sürdürelim.

Tavanla fıskıye teknelerinin üstündeki ayna sayılmazsa, banyonun bütünüyle benekli, lekeli, kirli kestane rengi, yalancı mermerle kaplı olduğu söylenebilir, öte yandan gerçek mermer, kireçtaşı da olabilir bu. Sağda: banyo teknesi, suyun ısısını ayarlayan musluk, dikey bir ray üstünde duş başı, şampuan kutusu, perde ve tasarımı demiryolu estetiğini andıran havlu askısı. Banyo teknesinin sıkıştırılmış ve emaye çelikten paneli ısıtma sistemini gizliyor. Kapının karşısında, Ideal Standard marka bir klozet, gerdelinin içindeki bir süpürge, tuvalet kâğıdı ve tamponlar için plastik torba veren bir alet. Solda, onların ölçülerine göre oyulmuş yatay mermer (kireçtaşı da olabilir) bir düzleme oturtulan, Grohe tesisatın imzasını taşıyan iki ikiz fıskıye teknesi, üstlerinde de akla gelebilecek tüm sağlık malzemeleri duruyor: diş fırçası bardağı, duş bonesi, masaj kataloğu ve fiyatları, kâğıt havlular, kibritler ve eklemli askının üstündeki büyüten ve aydınlatan ayna (ama bozuk, 089 2712557 numaralı telefonu, Münih'teki Bäder-Design'ı arayabiliriz, gerekeni yapacaklardır). Asıl ayna düz, kalın, PVC bir setle çerçeveli, setin üstünde soldan sağa şunlar var: bir elektrik prizi, bir elektrik düğmesi (çalışmıyor, belki de az önce sözü geçen aynanın lambasını çalıştırıyordur), ikinci bir ayarlı, "tıraş makinesi" prizi, bir saç kurutma makinesi, üç tane ışıklı döşeme taşı ve banyodan görülmese de, kapı açık bırakıldığında sesi duyulan televizyonu ayarlamaya yarayan dört potansiyometre. Bunları düşünmek için artık çok geç, O.R.'ye bu ayrıntıları ulaştırmayı başarırsam (ama nasıl?), bunlarla ne yapacağını soruyorum kendi kendime, raporuma kendi adını ekleyecek ve yine ne yapacağını bilmediği başka bir raporun arkasına katacak onu. Kaldı ki bu, işi baltalamak için bir bahane değil.

Devam edelim.

Odayla giriş arasında bir kapı yok, birbirlerinden mimari bir kurnazlıkla ayrılıyorlar: Sözünü ettiğimiz gömme dolap dizisinin sonunda, ötekilerle 135 derecelik bir açı oluşturan, aslında kareye benzeyen odanın köşegenine koşut görünümlü, daha yüksek ve belirgin bir başka öğe var. Bu düzenleme sütununun orta bölümünde, izleyiciye doğru döndürülebilmesi için yivli, dönen bir raf üstüne yerleştirilmiş televizyon (O.R. için bu notları kaleme alırken, televizyon kapalı, çalışıp çalışmadığını bilmiyorum) duruyor, televizyonun altındaki üç çekmece bir komodin oluşturuyor, üstte de bir kapak hiçbir işe yaramayan boş bir alanı örtüyor. Odanın tavanı (pirinç sapıyla örtülü) kaplamalı değil ve koridorla yükseklik farkını sağlayan basamakta, hava deliklerinden klima havası üfürülüyor. Odaya girince, sol kolda, inatçı bir termostat odanın sıcaklığını 22 derece santigratta tutuyor, bunun peşi sıra içinde paspartulu bir guvaş resim bulunan değersiz bir çerçeve geliyor, bu resim de yatağın karşısındaki duvara asılı olan kadar vasat en az. Çift kişilik yatağın üstünde yatak örtüsü yok, kayışı omzumu kesmeye başlayan çantamı attığım sol tarafı üçe katlanmış tek kişilik bir kamp yatağı kaplıyor, sağ taraftaysa fötr şapkalı, gözleri açık, ayakkabıları cilalı, kolları vücudunun iki yanına uzanmış, koyu giysili, yün kıravatlı bir adam yatıyor, canlı mı ölü mü belli değil, onun üstünde kapalı ve kuru bir şemsiye asılmış başucu lambasına.

Az kalsın unutuyordum, bağışlayın: İki başucu lambası; içlerinden birinde, soldakinde reosta bulunan elektrik anahtarlarıyla açılıp kapanıyor. Komodinler de, diğer her şey gibi, birer zevksizlik örneği, üst tarafları aynayla kaplı ve aradaki yuvarlak, parlak camdan raflar da kaidenin yarıklarına oturtulmuşlar, komodinin tek ayağı tarafından ısırılmış gibi görünüyorlar. İki koltuk, camdan bir salon masası, odanın köşesine girebilsin diye arka kenarları kesilmiş, üç çekmeceli (ikisi sahte) büyük bir çalışma masası, ona uygun bir masa lambası, telefon, temiz kül tablası, kibritler, bir tepsi, iki bardak, beş avroluk bir su şişesi, bir internet bağlantısı kutusu. Çalışma masasının üstünde Berlin'deki Steigenberger Oteli'yle (birbirinin tıpkısı 397 odası var) ve aynı grubun öteki işletmeleriyle ilgili reklam ve bilgi broşürleri. Çekmecede, *Das Neue Testament* ve *Die Lehre Buddha*.

Odanın perdelerle kaplı dip tarafı baştan aşağı cam gibi; yön duygum beni yanıltmıyorsa, o güzelim Los Angeles Meydanı'na bakıyor, güzelim diyorum çünkü burada meleklerin meydanının nasıl olması gerektiği biliniyor.

Tek hamlede perdeyi açıyorum. Adam yatağında yerinden sıçramıyor. Cam yok, açıt yok, bağ taşından düzgün ve görünüşe göre yakın zamanda yapılmış bir beton blok ve kalıpla yazılmış şu net, lacivert yazı: "You are leaving American sector, Vous sortez du secteur américain, Sie verlassen den Amerikanischen Sektor" ve aynı anlama geldiği tahmin edilebilecek Rusça bir tümce [Amerikan bölgesinden çıkıyorsunuz] görülüyor yalnızca. Koridora doğru koşuyorum, oda kapısını açarken zorlanmıyorum ama kapının dışına aynı bağ taşı duvarın örüldüğünü görüyorum, hâlâ taze çimento kokuyor, ama omuz darbelerime dayanıyor; aynı kalıptan aynı yazı çıkarılmış bunun üstüne de, "Dikkat Amerikan bölgesinden çıkıyorsunuz", gözetleme deliği yüksekliğinde küçük bir pencere açılmış bu yeni duvarın üstünde. Telefona koşuyorum, çevir sesinin makamı ısrarlı ama tuşlar hiç etki etmiyorlar ona. Yatağın üstüne uzanmış fötr şapkalı adam beni gözleriyle izledi, hatta yüzündeki bezgin, vurdumduymaz ifade neredeyse bomboş olmasa, şaşkınlığımla eğleniyor diyeceğim.

Kapının koluna iki yazı asılı, birinin yeşil yüzünde odanın temizlenmesi isteniyor, kırmızı yüzündeyse rahatsız edilmemesi, bir çift kıskaçla tutturulmuş ötekindeyse, arka tarafa odada yapılması gereken onarımları belirtmemiz isteniyor bizden, Bitte notieren Sie auf Rückseite Ihre Reparaturwünsche. Bir buldozere ihtiyacım var, şerefsizler. Öfke ve umutsuzlukla, vargücümle kapalı kapıya bir tekme çakmak için bacağımı kıvırıyorum, aniden dolu yataktan, genizden gelen bir ses, kusursuz bir Fransızcayla, kuşkusuz bir yabancıya ait olan ama kökeni belli olmayan bir şiveyle bana şöyle diyor: "Gücünüzü boşa harcamayın, gelin dinlenin, bir daha Amerikan bölgesinden çıkılmayacak, tüm dünya Amerikan bölgesi olacak, sabredin." Duvara, melekler meydanına doğru döndü, uyudu bile.

Jean-Baptiste HARANG

110 numaralı oda, Castel Clara Oteli, Belle-Île (hiç kuşku yok ki yakında *Belle-Isle* olacak, değil mi ki bu şekilde yazılması en sıradan ev sahipleri arasında bile yaygınlaştı, aslına daha uygun, kesinlikle!)

Bu satırlar bir not defterinden alındı.

"Tarih ve kurgu", sürmekte olan çalışmanın geçici başlığı bu. Burada, önce Belle-Île Tarih Derneği'nin sekreteriyle buluşacağım. Aslında bu derneklerle ilgili bir şeyler öğrenmek tek niyetim (üyeleri kimdir, orada nasıl bir tarih üstünde çalışılıyor, bellek ve kalıt konuları nasıl ele alınıyor vb...). Otelin önünde buluşacağız. Motosikletle geliyor. Güneşte yanmış güzel bir eski denizci yüzü. Bir sigara sararken, tarihin kendisini ilgilendirmediğini söylemekle giriyor söze, ama herkesin canının istediğini yazmasını da istemiyormuş, örneğin günün birinde toplama kamplarının var olmadığının yazılmasını. Peki. Bu açıklamanın kendisini sandığından da çok tarihçi yaptığını söylemiyorum. Konu derneğe geliyor. On bir-on iki yıl kadar önce eski bir kimya mühendisi tarafından kurulmuş, yaklaşık iki yüz üyesi varmış, bunların çoğu da Belle-Île'li değilmiş (kendisi de sadece otuz yıldan beri buradaymış!). Amaçlarının adanın geçmişini öğrenmek ve öğretmek olmasında şaşırtıcı bir şey yok tabii -tipik bir tarih kurumuyla karşı karşıyayız-, ama bu sık yinelenen sözde ciddi bir taraf var: Çalışma, arşivlerden hareketle yürütülüyor. Yayınlarına bakmam için kurumun merkezine davet ediyor beni (bir de katılım bülteni doldurmam için).

Odama dönüyorum (dekoru kısa süre önce baştan aşağı yenilendi, verniklenmiş, kamara tarzı ahşap kapıyı açarken, altın sarısı duvar kaplamasıyla venge kaplama mobilyalar, diye gururla bildirdi bana resepsiyoncu). Süt rengi ufuktan bir konteyner gemisi geçerken, denize bakan balkona yerleşip *Sırça Otel'de Bir Oda*'yı açıyorum yeniden. İlk okumamda, kitap bana karmaşık, hatta dümenci bir yazın makinesi, kurgu üstüne hareket halinde, demek ki sözcüklerle düşünmenin bir ürünü gibi görünmüştü, bu sözcükler de, sayfa sayfa, Rolin kurgusunun ya da Rolin tarzı kurgunun (nasıl deniyor, bundan sonra nasıl denecek? Kendi adıma, Rolin kurgusunu yeğlerim) evrenini oluşturuyorlardı. Aman ha onun kitabının kuramını çıkarma fikri uzak dursun benden, bu tongaya düşülmesine bayılır kendisi! Kaldı ki eleştirmenlerle ve öteki göstergebilimcilerle, notlarında onlara küçük roller vererek dalga geçmekten de geri kalmıyor (evet, tam da kendisinin yönettiği ve başrolünü oynadığı bir filmdeki figüranlar gibi davranıyor onlara); bizlere yolumuzu iyicene şaşırtmak için onlara değiniyor (üstelik bu sözde göstergebilimcileri kimse tanımıyor, oysa yazar birçok kez, kendisini yazın konferanslarının gediklisi bir profesyonel havasında tanıtmaktan çekinmiyor).

Aman bu kitaptan, al birini vur ötekine deyip, tarihle kurgunun aynı şey olduğunu çıkarma fikri de uzak olsun bana. Kesinlikle öyle değil zaten, ama işin asıl ilginç -aynı şekilde yararlı da olabilecek- tarafı, ikisi arasındaki sınırı, daha doğrusu sınırları keşfetmek, çünkü zaman içinde değiştiler, her birinin alanının genişlemesi ve tanımları konularında yarattıkları etkiler de aynı şekilde. Sınırlar her zaman temas alanları olmuştur (alışverişler, ödünç almalar, transferler, gizlice insan kaçıranlar, ama aynı zamanda parazitlendirmeler, kaçakçılıklar, taklitler). Rolin ve onun miskinler çetesi bir sınırdan ötekine kaçakçılık yapıyorlar durmadan.

İşte kendisini *roman* olarak tanımlayan, arka kapakta yazar-kahramanın, yüzünü şapkasının arkasına gizlemiş fotoğrafını ve "Olivier Rolin, Boulogne-Billancourt, 1947-Bakü, 2009) ibaresini taşıyan bir kitap (2004'te yayımlandı), ilk tümcesi de "Olayları hatırlayalım..."; bu konuda, ondan beri dendiği gibi, tarihçinin sorgulanmasını gerektiren bir şeyler olduğunu itiraf edin siz de! Her ne kadar Borges'in şu tümcesi geliyorsa da onun aklına: "Ben kurgu yaratmam, olay yaratırım." İşte bir *roman*, bir dizinle genişletilmiş, gerçek kahramanlarla kurgusal olanların yan yana gelmesini sağlamaktan başka bir işlevi yok. Dahası, metne bir de ikili bir not çarkı eşlik ediyor, yazara mal edilenlerle editöre mal edilenler. Bilgiç tarza öykünüyor ya da türlerin savunucularıyla saklambaç oynuyor (herhangi bir yerde Gérard Genette'ten söz edip etmediğine bakmalı, onu okumuş olmalı).

O halde, ciddi ya da hırçın kişiler ya da ikisi birden, bu hilelerden ilk kez onun yararlanmadığını, başkalarının da bunu yaptığını vb. söyleyeceklerdir. Kuşkusuz, peki ama bu açıdan Batı yazını Homeros'tan beri çok daha iyi bir şey yaptı mı? Onun Odysseus'u zaten eksiksiz bir kurgu ustasıydı, sınırları altüst ediyordu (gerçeğe yakın olan uydurmanın ya da yutturmacanın tarafındaydı, olağanüstü ya da mucizevi olansa -gemisinin son batışından sonra, kendisini hayran hayran dinleyen Phaiaklara yolculuklarını anlatırken- doğruluğun tarafında: Hatta doğruyu söylediğini bildiğimiz tek an budur).

Parantez: Yazarın ölmeye karar verdiği, Bakü'deki

22 numaralı oda *Odysseia*'nın XI. şarkısını düşündürüyor bana, Odysseus'un Hades Evi'ne uzanan yolculuğunu. Gerçekten de, ikisi de orta konumda bulunuyorlar (43 odadan 22. oda, XXIV şarkıdan XI. şarkı), ayrıca yazarın laf arasında değindiği bir ipucu daha var (otelin adı Abşeron, neredeyse Akheron, diye yazıyor, cehennem ırmağının adı bu). Kuşkusuz, bir Teiresias yoktur ki ona İthake'ye (Chanzy Sokağı, Sırça Otel'e mi yoksa?) dönüş yolunu göstersin ve ölümünün nasıl olacağını söylesin (kendisi ölümünü hazırladığı iddiasındadır).

Bir an için, öteki randevumu beklediğim odada, şimdi yatağa uzanmış durumda, kesinkes yazar rolü üstlenmek için değil (çünkü değilim), tarih derneğiyle olduğu gibi, bir saha deneyimi yaşama fırsatı yakalamak için, Rolin kurgusuna, onu doğuran harekete (fazla görkemli) epey yaklaştığımı hayal edelim. Şöyle yazabilirdim: "Çantamdan notlarla dolu kitapları ve makaleleri çıkarıyorum, venge kaplı uzun ve dar çalışma masasına koyuyorum, hemen yukarıdaki dikdörtgen aynada kafamı görüyorum ve sözde Lafaurie'nin, Aptekman'ın ve başkalarının ortaya koyduğu yorumları değerlendirmeye, tartışmaya başlıyorum"! Derken, tuzağa düşüyorum (her ne kadar biraz daha incelikle hareket etsem de), çünkü kendimi anında yorumcular sürüsünün arasında buluyorum, Rolin'in öngördüğü şekilde. Olsa olsa, huysuz, cımbız kullanan bir yorumcu.

İzleyicilere yaptıkları numarayı anlatıyor gibi yaparken, aslında onların dikkatlerini yapmakta oldukları şeyden uzaklaştıran şu gözbağcılar gibi davranıyor o da. Tek yutturmaca sorununun çevresine ikircilli ipuçlarını yığarak (aynı zamanda kitabın ceketindeki fotoğrafta da görülen (?), sonra da Malcolm Lowry'ye ait olanla yinelenen başlangıçtaki bavulla başlayarak), yazınsal bir *topos*'a çağrı yapıyor, ama bunun yanı sıra kimsenin buna kanmaması gerektiğini de açıklıyor size (tıpkı silindir şapkasının çift zemini olmadığını size denetlettiren hokkabaz gibi).

Metinlerin, "odalar"ın üstlerine yazıldıkları malzemelerin incelenmesi bir yol açar mı önümüze? İlk saptama: Yazar bekliyor bizi o yolun sonunda! İkinci saptama: Özenle kurulan bu derleme açıklanmıyor hiç de. Belki de bir açılış parçası için ortaya atılan bir yem bu (yalnızca yalancı bir yem değil): Onu bir şeye dönüştürmek okura kalıyor (kulağı iyi olanlar için biçem...). Böylece, kitapların başından sonundan koparılmış boş sayfalar (içbükey olarak) taşınabilir bir kütüphane halini alıyorlar (listesi çıkarılmalı). Bunlar yazarın elinin altında olan, onun için önem taşıyan, tam anlamıyla ihtiyaç duyduğu ve kullandığı, sayfa kenarlarına yazılar yazdığı kitaplar. Kitabın son metni, içinde gizil kurgular barındıran "Son Duraktaki Otel"in *Mémoires d'outre-tombe*'un iç kapağından sayfalara yazılması (en azından) kaçırılmaması gereken bir göz kırpma!

Ünlü Sırça Otel'deki odayı, var olmayan, merkezi boş olan odayı ele alalım (pek çok yorumcunun içinde kaybolduğu odayı!). En az beş kez ortaya çıkıyorsa da, her seferinde farklı malzemeler üstünde ve içinde bulunulan "mekân"dan bütünüyle farklı bir yerde beliriyor: Singapur-Paris arası uçan bir Air France uçağının mönüsü, bir Paris taksisi fişi (frank olarak), bir Amsterdam otelinin antetli mektup kâğıdı, üç boş (sahte) kimlik kartı, Yeni Ahit'in bir baskısının iç kapağından sayfalar, en son olarak da *Mémoires d'outre-tombe*'dan koparılanlar. Arkası yarın... Ama bir karşıtlık yok, bir anahtar bulmak değil dert, adeta okura turlar bindiren ve fazladan bir tur olasılığını da bir kenarında saklı tutan kurgunun sarmalını daha iyi kavramak gerekiyor asıl.

Kurgu odağına yaklaşımın bir başka yolu da büyük betimleme payını göz önünde bulundurmak, bu daha zor. Odalar nasıl betimlenmiş? O anda mı, yoksa notlardan hareketle daha sonra mı? Bu betimleme belgeleri bir tür hazırlık çalışması belki, hani o antik retorik okullarındaki *ekphrasis* alıştırmaları gibi (peki ama *ekphrasis*'in doruğu okurun gözünde aslında var olmayan bir tablonun oluşmasını sağlamak değil miydi?). İşte yazarın ince düşüncelerini hiç esirgemediği bir konu, hatta bunun üstüne Barthes tarzı bir sözcük uydurma lüksünü bile armağan ediyor kendisine, "yerbetimli özyaşamöyküsü" (sözcüğü bulduğundaki gülümsemesini hayal edebiliyorum, yine yorumcuların dağarı için yapıyor bunu!)

Her şeyden önce, her odanın her ayrıntısının titiz ve doğru biçimde betimlenmesini istiyor –"Ben hiçbir şey icat etmedim"–, giderek kendisinin "neredeyse bir mahkeme kâtibi gibi" hareket ettiğini söylüyor. Peki öyle olsun bakalım, ama dünya üstündeki hangi mahkeme kâtibi "takma dişeti pembesi"yle "kusmuk pembesi"ni ("sarhoş kusmuğu"yla karıştırılmasın) birbirinden ayırmaya zahmet eder ya da eşyası arasında "lal rengi eteklikli bir fiskos masası" sayar! Her şey doğru, ama her şey yazarın bakışıyla başkalaşmış, kendisi de birbiri ardına sıralanmış aynalarda yüzünün yaşlı bir pelikana dönüşümünü izliyor. Bu odalar gerçekle kurgu arasındaki bir boşluk gibi işliyorlar; (gerçek ve kurgu ulamlarıyla ilgili olandan başlayarak) her türlü kaçakçılığın yapılabileceği bir ara uzam oluşturuyorlar. Ama odalar yazarın oyununa başlayabilmesi için gerçek olmalılar. "Motor, Başla."

Şu noktada, bana bir betimleme denemesi (ufacık bir deneme) yapmaktan başka bir şey kalmıyor. Onun dümen suyunda gitmeliyim bir şekilde, işte yer, işte fırsat, son notunda dediği gibi: *hic Rhodus, hic salta* (Rodos burası, burada atla). Tamam, ama burada dümen suyu 17 derece santigrat! Giriş kapısı (kızılçam mı?) yaklaşık 3 metrelik (2,90 metre) bir koridora bakıyor, koridora bağlanan odaysa geniş camlı, yivli bir açıttan balkona açılıyor. Solda, koridorda iki kapı var, aynı ahşaptan yapılmışlar ve aynı şekilde verniklenmişler; sağda, gri katmanlı bir bavul sehpası (boyalı ahşap taklidi) ve ikili bir aynalı dolap var (1,80 metre). Zeminde, bej bir döşemelik (yatağın ayağında birkaç leke); latalı tavan beyaza boyalı, süpürgelikler ve söve pervazları vernikli ahşaptan. Evet, aynen gemilerde olduğu gibi! Duvar kaplaması, söylendiği gibi, sarı (ayçiçeği sarısı belki), küçük baklavalarla benek benek, mobilyalar da Wenge (neredeyse siyah). Duvarlarda hiçbir şey yok. Es geçmek istemediğim, birazcık özgünlük sergileyen (daha doğrusu gülünç) tek nesne bir lamba-vantilatör; tavanda asılı duran bir tür pervane bu, lacivert kontrplak dört kanadı düğmeye basıldığı an dönmeye başlıyor! Havayı karıştırıyorsa da, oldukça az bir ışık veriyor...

Vakit geliyor, daha sonra devam edeceğim. Gece oluyor. Balkona çıkıyorum, batı rüzgârının daha sert esmek istiyormuş gibi bir hali var, büyük fenerin ilk büyük ak parıltıları ortaya çıktı. Sürtme çeken bir balıkçı teknesi küçük Goulphar Koyu'na demir atmakta. Nokta gibi görünüyor. Aşağı iniyorum, bardan geçerken bir üçlü dikkatimi çekiyor, Raymonde Docteur-Roux'yla fedailerinden ikisi bunlar, Kanguru Ödülü'nün jüri üyeleri. Ne yapıyorlar burada? Deniz kıyısında bir sonraki ödüle mi hazırlanıyorlar? Şu anda, daha çok uyuşmuş bir halleri var. Taraçada, rüzgârdan korunmaya çalışan küçük bir gruba takılıyor gözüm, aralarında Pierre Nora ile Maurice Olender de var, onlara selam vereceğim. Polisiye roman üstüne konuşuyorlar: Fransa'da satılan beş kitaptan biri polisiye. Bu kurgu türü neden dünya çapında bu kadar başarılı oluyor? Polisiye sözcüğü sınırları otuz yıldır epey değişmiş bir türü tanımlıyor. Siz ne düşünüyorsunuz? diye soruyor bana Olender. Yalnızca şu sıra bu konu üstüne çalışmakta olduğumu geveleyebiliyorum, çünkü buluşacağım kişi, merhum Temistokles'in oğlu, Rolin'in aylak arkadaşı Aristides Papadiamantides geliyor. Babasının gazetesini bana devretmeyi kabul etti. Babasının yazınsal yetenekleri konusunda kuşkularım olsa da, bu gazeteyi yayımlamak istiyor. Bakalım. Onun olayları anlatışıyla Rolin'in anlatışını karşılaştırmak benim ilgimi çekiyor asıl. Ama şakayı bırakalım, *Sırça Otel*'in yazarının yinelemekten hoşlandığı gibi bu bambaşka bir hikâye, siz şansınıza yanın, daha doğrusu şansınız dua edin ki size anlatmayacağım. Herkesin mesleği kendine!

François HARTOG

216 numaralı oda, Normandie Oteli, 7-9 Cours du XXX Juillet, Bordeaux

Prag arkadaşım ilk kitabı çıktığında bana mektup yazmıştı. Bir süre yazıştıktan sonra buluşmuştuk. Derken, günün birinde, benimle birlikte Prag'ı gezmek istediğini söylemişti. Bu yüzden ona Prag arkadaşım diyorum: Gitmeden önce rüyamda gördüğüm Kafka'nın kentini keşfetmemi sağlamıştı. Paris'e dönünce, ona yazmayı sürdürmüştüm. Mektuplarımız kimi zaman oyunlu, kimi zaman ciddi oluyordu ve her zaman yazından söz ediyorduk. Gecemin içinde daha ilerilere gitmem için yüreklendiriyordu beni. Kaldığı her otelden bir mektup yolluyordu. Her durak yerinde beni düşünmesi fikri hoşuma gidiyordu, hararetli konuşmalarımıza devam etmek üzere onun yanına gidiyormuşum gibi hissediyordum bu mektuplarla. Bugün, Prag arkadaşım Bordeaux'da mola vermiş. Normandie Oteli'ne yerleşmiş, bana onu öyle bir betimliyor ki masamdan kalkmadan yolculuk yapıyormuşum izlenimine kapılıyorum. 216 numaralı odanın duvarları beyazımtırak bir tür yulaf unu lapasıyla kaplı. Silmelerle çevrili tavanda dört kollu bir avize var. Döşemelik halı şarap tortusu renginde. Sol duvar Dufy süsenleriyle bezeli. Prag arkadaşım üstünde bir ayna bulunan, Karelya ahşabından yapılmış bir çalışma masasından yazıyor. Biraz uzağında, kırık beyaza boyanmış bir giysi dolabının yanındaki, ikili perdeyle aynı renkte, mavi-uçuk pembe bir yatak örtüsü serili yatak var. Pencere siyah metalik parmaklıklı bir balkona açılıyor. Gobineau Sokağı, Tourny hıyabanları, Quincoces Meydanı görülüyor. Pencere ikili. Dış taraftakinin, her biri üç kare camlı iki kanadı var, üstlerinde de iki beyaz karo bulunuyor. İçeridekininse, üstte sabit, dikdörtgen bir panosu, altta da tek camlı iki kanadı var. Yatak başlığının üstünde boydan boya bir flüoresan tüp uzanıyor. Diğer bir aydınlatmaysa, üstünde beyaz camdan küçük bir küre bulunan krom kaplı metal bir aplik. Kendinizi yanımda hissetmeniz için bu kadar yeter mi, diye soruyor bana Prag arkadaşım. Bu kente, diye de ekliyor, dün geldim, sanırım sizin de benim gibi hayran olduğunuz bir yazarın hayaletinin peşinden. Paris'te doğmuş, ama yaşamının büyük bölümünü Bordeaux'da geçirmiş, Limankent diyor ona. Burada kendini mutlu hissettiği söylenebilir. Raymond Guérin'den söz ettiğimi tahmin etmişsinizdir. Bu yazarı bundan on beş yıl önce keşfettim. Yeniyetmeydim ve bir sahafta onun *Ébauche d'une mythologie de la réalité*'sinin (Bir Gerçeklik Mitolojisi Taslağı) ilk parçası *L'Apprenti*'yi (Çırak) bulmuştum. Guérin'i hiç tanımıyordum. Gironde'da sigortacılık yaptığını öğrenmiştim sadece. Roman beni yıldırım çarpmışa çevirdi. Önce Céline'in, o ikimizin de pek sevdiği, *Gecenin Sonuna Yolculuk*'un yazarı Céline'in tarzı bu, diye düşündüm. Ama yanılıyordum. Guérin kimseye benzemiyor. Başkaldırı onun doğasında var. Onun yazını, sürekli bir devrimin izlerini taşıyor. Biçemini, tarzını, dünya görüşünü durmadan sorguluyor. Proteus o. İki yüzlü İanus. Hermaphroditos. Hermes. Kitaplarından her biri tinsel bir öğreti olduğu kadar, onun bağrının deşildiği[1] bir itiraf aynı zamanda. "Her erkeğin içinde, hele söz konusu olan yaratıcı güçle donanmış bir erkekse, bir kadın vardır. Aslında kendini yazar, ressam, müzisyen hisseden her varlık erdişi olagelmiştir (ya da oluvermiştir); aynı anda hem erkek, hem de kadın olan, kendi kendini dölleyebilen, gebe kaldığı, ardından içinde taşıdığı ve en sonunda da doğurduğu yapıtın hem doğurtucusu, hem de doğuranı, hem babası, hem de annesi rolüne soyunan çift yüzlü bir canavara dönüşmüştür", diye yazar *La Parisienne*' deki bir makalesinde. Raymond Guérin kimsenin oğlu değildi. Ticaretle uğraşsın diye kendisini sanattan uzaklaştırmaya çalışan annesiyle babasına karşı pek bir yakınlık hissetmiyordu – "Mösyö Baba" ve "Madam Anne". Diogenes' in babası üstüne, Sinope'li *kynik*'e adanmış yapıtında, onun aslında uymacı, "toplumsal ilişkiler ve iğrenç gerçeklikler meraklısı" biri olduğunu yazmıştı. Bu kendisini otelcilik yapmak zorunda bırakan ve ona güçlülerin karşısında eğilmekten başka bir şey öğretmeyen Mösyö Baba'nın özlü bir portresidir. "Doğduğunuz anda," diyor Guérin *L'Apprenti*'de, "göbek bağınızın çarklara sokulduğu ve sonsuza dek kavrulduğu düşünülebilir." Anımsarsanız, diye hatırlatıyor bana Prag arkadaşım, hafif bir bitmemişlik kokusu taşıyan yapıtlardan konuşmuştuk sizinle. Onları heyecan verici kılan şey de bu. Guérin de aynı şekilde düşünüyor, "sanatçının tüm düşlerini ve uyanışlarını içine kattığı", çarpıtılmış, tamamlanmamış, eksik ya da kusurlu yapıtlara hayranlık duyduğunu söylüyordu. Onun kitapları üstüne, okumanın yaratıcı gücüne çağrıda bulunan güzel bir tanım bu. İtirafları, kurmacaları, mitleri bir çıkış yolu sunuyor ve bize düşen görev de içimizde tohum olarak kalacak şeyi ondan almak. Ateş

[1] Bazı kaynaklara göre, Leto'ya saldırdığı için Zeus tarafından cezalandırılan Tityos'a gönderme. Tityos'un yanına konmuş iki akbaba onun bağrını deşip ciğerini didikler. Ama o akbabaları bir türlü kovamaz. (Ç.N.)

hırsızı Guérin kükürtlü kitaplar sunuyor dünyaya, ama kendisi gerçekçi bir yazar olmak şöyle dursun, yazmanın yaranın irinini dışavurmak olduğunu söylese de, sürekli varoluşun dar sınırlarında incinen, saltığa tutkun bir adamın sesini esinliyor. Şu haliyle toplum onun düşmanı, Guérin'in her kitabı da kendisindeki bu toplumdan kurtulma arzusunu haykırıyor. Sizlere yalnızca dümen çevirme ve hile yapma sanatını öğreten "eğitsel bir can sıkıntısı"dır yaşam. Paris'in büyük otellerindeki çırak Guérin, görevinin başından beri toplumun intihar ettirdiği bir adamın[1] vasiyeti gibi görülebilecek tümceler yazmak olduğunu bilir. Onda Artaud'luk vardır. Kalemiyle yaşamın yüreğine dokunan o kara ozandır kendisi. Onda herhangi bir poza, ikiyüzlülüğe, aldatıcılığa rastlanmaz hiç. Kendini olduğu gibi açığa vurur ve son mektubu, engelleri yıkar gibi yazılmış yapıtı taşıyan iletici, ulaktır her şeyiyle. Guérin anlaşılmaz Hermes'tir. İkinci Dünya Savaşı'nda tutsak düştüğü dönemin anlatısı *Poulpes*'taki (Ahtapotlar) Koca Dab'dır. Mösyö Hermes'tir, Crillon Oteli' nin komisidir, kendisini yalnızca içinde bulunduğu koşullara indirgemek isteyenlere karşı düşünülmüş tiyatro oyunu *La Joie du cœur*'ü (Yüreğin Sevinci) hazırlayan delikanlıdır ve *Parmi tant d'autres feux*'nün (Başka Birçok Ateş Arasında) kadın kahramanı Delphine'in sevgilisidir. Sözü geçen bu son kitapta betimlendiği şekliyle Bordeaux kenti artık yok. Guérin'in Damour yolu, 31 numarada oturduğu ev Montesquieu' nün de orada yaşamış olması yüzünden biliniyor. Guérin, öldükten sonra bile kendisi için yaşamı boyunca hissettiği şeye tanık oluyor: dışlanmışlık. Bana, diye yazıyor Prag arkadaşım, Guérin'in saldırgan bir adam olduğunu, toplumdan uzakta bir yaşam sürdüğünü ve

[1] Antonin Artaud'nun *Van Gogh, Toplumun İntihar Ettirdiği* adlı kitabına gönderme, çev. Ahmet Soysal, Nisan Yayınları. (Ç.N)

Paris ortamına, kendisiyle ilgili söylenen her şeye işkillenenlere özgü bir güvensizlikle yaklaştığını söylediniz. Aslında Guérin hırçın biri değil, zaman zaman yazın dünyası tarafından dışlandığı duygusundan yakınsa da. Bilinci kendisinin kibarlar âlemi oyunlarına dalmasına engel oluyordu. Tüm yaşamı boyunca, harekete geçmenin hayalini kuran bir çırak olarak kaldı. Yazısında bile, Mösyö Hermes'ti o, anlaşılmaz, herkese –Montaigne'e, Stendhal'e, Gide'e, Valéry'ye, Proust'a– öykünebilecek bir varlık, ilgi duyduğu kişilerle rekabet edebilecek yetenekteydi. Sadece "tanrısal dişi şeytan" Katherine Mansfield'a öykünülemezdi ona göre. Guérin'in Mansfield üstüne söylediği şeyler, diye yazıyor Prag arkadaşım, kendisi için de geçerli: Onda bilinçle doğallık, sertlikle içini dökme bir arada bulunuyor. Tüm karşıtlıkların adamı o – mesafeli ve sıcak, sanki okurdan bakışını geliştirmesini bekleyen kibirli bir adam, ama bir kardeş, sayfalarına akıttığı acı bütünüyle hissedilsin isteyen bir benzerimiz gibi de yakın. Kafka gibi sigortacılık yaptığı Bordeaux'da pek hoşlanmadığı ikili bir yaşam sürüyordu. "Ben," diye yazıyordu Henri Calet'ye, "bütünüyle köşeme çekildim, konuşabileceğim düzeyde birini bulamıyorum. Bu hiç de sevindirici bir şey değil. Dolayısıyla bu uyuşuklar, sümsükler, dümenciler, ikiyüzlüler, dar kafalılar, ensesi kalınlar, geçmişe sünger çekenler ve tek kelimeyle faşistler arasında, coşkularıma, öfkelerime, başkaldırılarıma, taşkınlıklarıma asla bir karşılık bulamadığımdan, elimden gelen tek şey kendi içime kapanmak oluyor. Bordeaux gerçekten de Fransızların Thebai'si." Ama Bordeaux, tıpkı Kafka'nın Prag'ı gibi, onu bırakmıyordu, pençeleri vardı sanki. 1955'te bu kentte öldü, yazını simyanın güçleriyle aşılan dolaysız gerçekliğe bir dalış olarak görmüş, geniş ufuklu bir yazarın mezartaşı gibi bir yapıt bıraktı ardında. Çünkü Raymond Guérin bir simyacıydı. *La Tête vide*'de (Boş Kafa) olduğu gibi, sıradan bir olay üstünden varoluşun anlamını sorguluyordu. Ham maddeyi, iğrenç gerçekliği, labirentin baskın figür olduğu bir mitolojiye dönüştürme sanatına sahipti. "Mitte, Theseus labirentten mucize eseri çıkar. Gerçekteyse, önceden yenilgiye uğramış olan yaratık yem olarak Minotauros'a atılır." İşte yazar da "aşk, şiir ve özgürlük ideali"ni kurtarmak amacıyla bu Minotauros'la savaşır. Siz *Ébauche d'une mythologie de la réalité*'nin üç kitabı arasında, *L'Apprenti*'yi seviyorsunuz, diye yazıyor bana Prag arkadaşım. *Les Poulpes*'u değeri bilinmemiş başyapıtlar arasında görüyorum ben. Geriye *Parmi tant d'autres feux* kalıyor, o da belki melankolik tonu yüzünden Guérin'in en özel kitabı. Rilke'nin genç ozana sorduğu soruyu sık sık alıntılıyordu: "Gecenizin en sessiz saatinde kendinize şunu sorun: Gerçekten yazmak zorunda mıyım?" Raymond Guérin için yazmak bir zorunluluktan öte bir şey – dil bir bütün haline geliyor onunla. Tutsaklığında dört bin sayfa yazı yazmış. Sözün iflasının farkında olsa da, yeryüzündeki görevinin de bilincinde: insan ruhunu deşmek, ondan gerçekliğin özünü çıkarmak. Yazmayı tasarladığı bir kitabın adı Hermes Blues. Guérin'in iç sıkıntısı, güzelliğe can atan ve durmaksızın anlayışsızlıkla karşılaşan bir adamınkini yansıtıyor. İronik biçimde "anlaşılmaz olmanın acı tadı"nı övüyordu, birçok kez çatışmalardan korktuğunu ve tepkisizliği aradığını söylemişti, ama susmak için fazla ateşli, fazla isyankârdı. İçindeki direnişçi, başkaldıranların kahramanları olarak görüyordu: yalnız Mösyö Hermes'i, tuzağa düşmüş bir insanlığın gözlemcisi Koca Dab'ı, "tutkulu düşünür", hiçbir toplumsal sınıfa dahil olmayan, anarşist Diogenes'i. Guérin'in *alter ego*'su haşin ve taşkın bir dil kullanan çağdaş bir kahramandır. Bıçak gibi kehanetleri bengi, insan ruhunu her yönüyle tanıyan, amansız, göksel bir serseridir o. Diogenes yoksunluklara kulak verir, ahlakı temelinden yıkar, başkaldırının şarkısını söyler: Gönenci kokuşmuşluğun anası, iyeliği sıkıntının anası, gücü özsaygının anası, çalışmayı da köleliğin anası olarak görür. Bana dediniz ki, diye yazıyor Prag arkadaşım, Guérin'in öfkeli kitaplarında, acımanın tiksintiden daha gür bir sesi olmasa, onları insandan kaçan birinin yazdığı düşünülebilirdi. Hayvan Çağı'na girmekte olan dünyayı gözlemleyen, düş kırıklığına uğramış izleyicinin acımasız, her türlü hoşnutluktan yoksun bir bakışa sahip olmasından kaynaklanıyor bu. Daha zamanı olsaydı, aydınlık yapıtlar yazmak istediğini söylüyordu. Ama onun *La Peau dure* (Sert Deri) ya da *Quand vient la fin* (Son Geldiğinde) gibi en karanlık kitapları bile, içlerinde bir ışık taşırlar. Elmas gibi kesici sözcükleri yaralayıcıdır ve sadece rahat bir uyku uyuma derdinde olan parçamızı uyandırırlar. Guérin'in bize öğrettiği şey, bir kurban olmayı reddetmektir, yalnızca dünyanın bize sunduğu seçenekleri seçmek durumunda kalmayı reddetmektir: acımasızlık ve vurdumduymazlık, kuşkuculuk ve umutsuzluk, sapkınlık ve aptallık, alay ve esrime. Bana, diye yazıyor Prag arkadaşım, Guérin'i, yapıtıyla bir yurtsuzun tüm evrenini ortaya koyan, eksiksiz bir yazar olarak gördüğünüzü söylediniz. Ama bütün ömrünü gerçek değerinin anlaşılmadığı duygusuyla geçiren bu kaçak adam gölgede kalmıştır. O yüzden alaya başvurur, dünyayla ve kendisiyle alay eder: "Başkalarının gözünde değer kazanmayı beceremedim. Kendimle dalga geçerken başkaları beni nasıl ciddiye alsın? İçimde bir inancı açıklama ya da bir kehanette bulunma isteği belirdiğinde basıyorum kahkahayı." Guérin'in mizahı yıkımdan kurtarmıştır kendisini. İşte bu yüzden ikimiz de onu seviyoruz, diye yazıyor Prag arkadaşım. İkiyüzlülüklerin maskesini düşürüyor, yaşamın Übü'ye yaraşan yüzünü açıkça ortaya döküyor ve bir selam çakarak basıp gidiyor. Raymond Guérin her türlüsünden başkalaşıma yetenekli bir bukalemun. Kendilerine ait küçük bir müzikleri olan ve her zaman aynı notayı çalan o pısırık yazarlardan değil o. İçinde aşırılık var. Parolası boyun eğmezlik. İşte bu yüzden Bordeaux'dayım - her bir sokağın köşesinde, kitaplar ve elyazmalarıyla dolu bavulu elinde, o fasulye sırığı gibi adamla karşılaşacağım sanıyorum, "Koca Aptal" Pétain'e ve "Koca Palavracı" Hitler'e saydıra saydıra esir kampından dönüşüne tanık olacağım sanıyorum, Saint-Seurin Kilisesi'nin gölgesinde Mutuelle de Poitiers Sigorta Şirketi'nin temsilcisiyle tanışacağım sanıyorum, onun o alt edilemez, Garonne kıyılarında yolunu yitirmiş Don Quichote sesini duyacağım sanıyorum.

Linda LÊ

11 numaralı oda, Mansur Oteli, King Faysal Street, Amman, Ürdün

Oda aşağı yukarı beş metreye beş metre boyutlarında olsa gerek. Ortasında küçük dikdörtgen bir frizle süslü bir kapıdan düzayak giriliyor içeriye. Zemin yıpranmış, açık bej bir döşemeyle kaplı. Soldaki yeşile çalan bir duvar kâğıdıyla kaplı duvar, giriş kapısının kasasına bağlanıyor ve banyo kapısına kadar uzanıyor. Duvarın önünde, üstünde kral mavisiyle siyah arası, tirşe, tepesi saçaklı bir vazo bulunan, İsveç tarzı, üç çekmeceli, beyaz bir konsol var. Girişin karşısındaki duvardaysa ham bir tülün gizlediği, tenha King Faysal Street'e, boş bir arsaya ve camdan bir yapıya bakan büyük bir pencere var. Pencerenin sağında, sahte deriyle kaplı alüminyum bir iskemle, ondan sonra konsolla aynı ahşaptan, insan boyunda, iki kanatlı bir dolap var. Sağdaki duvarın karşısında, alüminyumdan alçak bir masanın isli cam tablasının üstünde Sharp marka küçük bir televizyon duruyor. Masanın altında, plastik bir buzluk minibar görevi görüyor, içinde balık istifi gibi sıralanmış, kapaklarından ne oldukları anlaşılan Coca Cola'lar, 7 up'lar, alkolsüz Buckler biraları bulunuyor. Masanın sağında, duvarda yine bir pencere var, kuru ve hoş bir hava akımı iki açıtın perdelerini uçuruyor durmadan, onları kaldırıp oynatıyor, dikişleri biraz bozulmuş uçlarından birbirlerine hafifçe dokunduruyor. Giriş kapısının sağındaki dördüncü duvarın karşısında, üstüne sarımtırak bir yatak örtüsü serili, çift kişilik, büyük bir yatak odanın bir bölümünü kaplıyor. İki yanında dolap ve konsolla aynı ahşaptan, tek çekmeceli, iki komodin duruyor. Sağdakinin üstünde, küçük, yeşil abajurlu bir başucu lambası var. Odanın duvarlarına dekor olarak, konsolun üstüne asılı, XVIII. yüzyıldan İngiliz av sahnelerini betimleyen, camlı iki küçük tıpkıbasım konmuş. Yatağın üstündeki tabloya gelince, odaya girdiğimde, İskender Arakbar'la birlikte, bundan bir yıl önce, bu odada ilk kez kalışımızdan bu yana, onun hâlâ orada durduğunu görünce içim rahatladı.

Gelgelelim, bundan bir yıl önce, tüm Irak, Suriye, Ürdün, İsrail mafyalarıyla ve çantalı Arap ve Amerikan gizli servisleri eşliğinde buraya girdiğimizde, bu tablo değildi duvarı süsleyen, aynı yerde bir deniz manzarası, "Saint-Malo Limanı'na giren üç direkli bir yelkenli" tarzı ya da onun gibi bir şey asılıydı. Başlangıçta orada duran o ilk tabloya çok bakmadık, hemen indirdik onu, sonra fazla ses çıkarmamaya özen göstererek çerçevesini parçaladık, camını tuzla buz ettik ve her şeyi küçük bavuluma koyduk. Arkasından, büyük kenevir çantadan Veronese'nin gösterişli, debdebeli, eşsiz *Sebâ Melikesi'nin Ayakkabılarını Çıkaran Süleyman*'ı çıkarıp sakınımlılıkla, ama aynı zamanda da coşkuyla, ötekinin yerine, çift kişilik büyük yatağın üstüne astık; biraz paslanmış kocaman çivinin bu tablonun on milyonlarca dolarlık ağırlığını değil de, çevresindeki kakmalı, ahşap çerçeveyi taşımamasından korkuyorduk. Bugün, bir yıl sonra, yaman çivinin dayandığını görüyorum hayranlıkla.

Tüm bu öykü Ermeni'nin yerinde, Beyrut'ta başlamıştı; bir akşam üçkâğıtçının teki bu inanılmaz Veronese tablosunun üç fotoğrafını İskender'e gösterip bu nesneye (onu başka türlü adlandırmaya cesaret edemiyordu, hem burnu büyüklüğünden, hem de saygıdan) müşteri bulup bulamayacağını sormuş, bulabilirse komisyonun çok büyük olacağını ve elbette ikiye bölüneceğini söylemişti. Arakbar neler döndüğünü anlamak istemiş ve en sonunda öğrendiği şu olmuştu: Tablo eski bir İtalyan koleksiyonuna aitti. 1974'te Milano'da Christie's tarafından satışa sunulmuş, bir Kuveyt prensi tarafından satın alınmış ve onun Kuveyt kentindeki saraylarından birine, gözlerden uzağa saklanmıştı. Irak'ın Kuveyt'i işgali sırasında, tablo hiç kuşkusuz çalınmış ve Bağdat'a götürülmüştü, derken Amerikalıların Bağdat'a girişini izleyen karmaşada yeniden çalınmış ya da sadece başka bir yere aktarılmıştı – bu konuda Arakbar'ı bilgilendiren kişinin sözleri biraz karışıktı. Öyle ya da böyle, Veronese tablosu o sırada Ürdün'de bulunuyordu. Ertesi gün, İskender beni yanına çağırdı ve üç gün sonra, Ermeni'nin yerinde, uzun uzadıya, günün ilk pembe ışıklarına kadar tartıştık. Arakbar yapılması gereken şey konusunda kararsızdı. Bense, bu sanat harikasını yerel mafyanın eline bırakmamamız gerektiğini düşünüyordum. O halde, ne yapıyoruz, diye sordu Arakbar, tam Ermeni yorgunluk belirtileri göstermeye başladığı, yatmak istediği sırada. Araklayalım onu, diye yanıt verdim. Asıl sahibine geri vermek için mi? diye sordu Arakbar. Hayır, dedim, üç hafta sonra Mélanie Melbourne'un doğum günü. Tabloyu araklayıp ona hediye edelim.

Bir hafta sonra, planımızı olgunlaştırıp hayata geçirdik. Kasten karmakarışık hale getirilen temaslar aracılığıyla, Veronese tablosunu ellerinde bulunduran, bizim tanımadığımız kişiler, Rus koleksiyoncu bir mafya babasının tabloya yüz elli milyon dolar vermeye hazır olduğuna ve nesneyi görüp işi halletmek için, aysız bir gecede, Akabe Limanı'nın açıklarında, adsız bir teknede bekleyeceğine inanmışlardı. İyi niyet güvencesi olarak da, bir New York bankasından bir milyon dolarlık bir sahte çekle yine bir milyon dolarlık sahte banknotlarla dolu bir bavul taşıyorduk yanımızda. Sözümona Akabe açıklarında bekleyecek tekneye gelince, bunun Temistokles Papadiamantides'in teknesi olacağını söylemeye gerek yok.

Başlangıçta, elbette, biraz oradan oraya dolaşmamız gerekti. Bir sabah, çölün ortasında, Kusayr Amra Sarayı'nda, Bizanslı ressamların, başka yerlerde Meryemler ve Pantakrator İsalar çizerken sergiledikleri biçemle, Arap hükümdarları için yaptıkları içki âlemleri, sevişme sahneleri resimlerinin altında bir randevumuz olmuştu. Bir başka gün de, Lût Gölü'nün mavisinin bir mücevher gibi yarısaydam olduğu, Vadiü'l Mevcib'in üstündeki bir köprüde buluşuldu. En sonunda, gizemli muhataplarımızın, İtalyan ressamın tablosunu bize vermeden önce, bizleri hem resme, hem de renk ilkesine bir saygı duruşu niteliği taşıyan mekânlara gönderen ozanlar olup olmadıklarını düşünmeye başlamıştım. Ama ozan değillerdi, buluşmalar kimbilir hangi izleri gizlemek için yapılıyordu ve en sonunda, bir gece Akabe'nin kuzeyindeki bir kumsalda bu insanlarla temas kuruldu. Eski bir kamyonetin içinde, bir Iraklının yukarıdan tuttuğu cep lambasının güçlü ışığında, *Sebâ Melikesi'nin Ayakkabılarını Çıkaran Süleyman*'ı gördük ilk kez, mucizevi bir olaydı bu, tablo gecenin içinde bile göz kamaştırıyordu, içinden çıkarıldığı örtü ve kumaşlara sonra özenle yeniden sardık onu. Iraklı lambasıyla, ısrarla Sêba Melikesi'nin hizmetkârlarından birinin yüzüne, ardından Belkıs'ın elbisesinin gözalıcı yeşil kıvrımlarının bir bölümüne, ardından da diz çökmüş Süleyman'ın kadınsı parmaklarıyla hafifçe okşar gibi göründüğü ayağına işaret ediyordu. Yarım saat sonra, elini sıktığımızdan beri ağzını açmamış olan o aynı Iraklı ve aralarından biri son derecede tıkız bir makineli tabanca taşıyan, çok saldırgan bir hali olan iki adamla birlikte, bir Zodiac'ın üstündeydik. Saydamsız denizin üstünde Temistokles'in teknesine doğru ilerliyorduk ki beklenmedik bir şey oldu. Bir Noel ağacı gibi ışıldayan küçük bir tekne belirdi gecenin içinden ve Temistokles'in teknesine doğru yöneldi. Kuşkusuz, Ürdün ya da İsrail polisinin hücumbotu tarafından yeri saptanmıştı bizim teknenin. O anda, ortalık karıştı, Zodiac'taki üç adam sinirlenip geri döneceklerini söylediler. Arakbar önceden kararlaştırdığımız bir bakış attı bana, ne var ki sonradan o bakışın benim sandığım şey olmadığını söyleyip durdu, bugüne dek de aramızda bir tartışma konusu olmaya devam etti bu. Neyse, ne sandımsa sandım, "şimdi" diye bağırarak tabancalı adamın üstüne atıldım ve onu bordadan aşağı attım. Şaşırıp kalan Arakbar da Iraklıya aynı şeyi yaptı, ama üçüncü adamda zorlandık, onunla dövüşmek zorunda kaldık, kendi kendine giden Zodiac baş kıç vuruyor, dans ediyor ve saydamsız denizin üstünde fır dönüyordu, derken adam denize düştü ve biz de, botu toparlayıp, biraz daha güneyden, kıyıya döndük, Veronese tablosu botun zemininde, gecenin ve motorun boğuk gürültüsünün içinde yatıyordu. Ertesi gün, öğleye doğru, Amman'da, daha kesin söylemek gerekirse Mansur Oteli'nin 11 numaralı odasındaydık, tabloyu kenevir bir çantaya koymuştuk, bölgedeki bütün mafyalar ve polisler peşimizdeydi.

Haliyle, oturup biraz düşündük. Özellikle tabloyu saklayabileceğimiz bir yer aradık, bu şekilde daha özgürce hareket edebilirdik. Ama o odada kısılıp kalmıştık, işte o sırada XVIII. yüzyıldan deniz manzarası resminin kopyasını indirip onun yerine Veronese'yi asmak gibi tuhaf bir fikir geldi aklımıza, bu ikinci sınıf Amman otelinin hiçbir müşterisinin gerçek ve yüz elli milyon dolar değerindeki bir Veronese'nin altında uyuduğunu hayal bile edemeyeceğini düşünüyorduk.

Personele gelince, onların da her gün gördükleri oda duvarlarına artık bakmaz olduklarına emindik.

Tabloyu asar asmaz, birdenbire, oda bir kral odasına döndü adeta. Odadaki hafif pis hava bile değişmişti sanki. Sürekli uçuşan perdeler hafifçe salınmakla yetiniyorlar, şaşırıp kalmış gibi görünüyorlardı. Çift kişilik yatak, konsol, dolap eskimişti. Her şey daha değerlenmiş, daha güzelleşmişti adeta. 11 numaralı oda aniden periyle karşılaştıktan sonraki haliyle Külkedisi'ne benzemişti. İşte o zaman müşterilerin böylesine sıradan bir odada açıklanamayan bu görkemin nereden kaynaklandığını fark etmelerinden korktum. Oysa, bunu fark etmeyeceklerine ya da kaynağın ne olduğunu anlamayacaklarına, otel yönetiminin de bu mucizenin nedenini sorgulamayacağına inanmam gerekirdi. Bir yıl boyunca, çift kişilik yatağın üstünde asılı duran, Veronese'nin gerçek *Sebâ Melikesi'nin Ayakkabılarını Çıkaran Süleyman* tablosu kusursuz biçimde saklanmıştı. İngiliz, Alman ve Fransız turistler onun görkeminin altında uyumuş, Suudi Arabistanlı kadınlar onun ışıltısının altında çarşaflarını çıkarmışlar ve belki de o ışıltıyı kendi ışıltıları sanmışlardı, bir alay neşeli Lübnanlıyla onlara eşlik eden bir Amerikalı kadın renklerinin pırıltısının altında toplanmışlar ve aralarından biri durumdan kuşkulandıysa da, biraz sonra kendisini eğlenceye kaptırıp onu unutmuştu, bir yıl boyunca da bu böyle sürüp gitmişti. Bu arada, biz, İskender Arakbar'la ben Amman'dan gece vakti ayrılmayı başarmıştık. Ve bugün, bir yıl sonra, takma bir adla, buraya, 11 numaralı odaya geri döndüm. Yarın, Mélanie Melbourne'un doğum günü yine. Umarım hediyemi sever.

Charif MAJDALANI

Les Sarcelles Oteli, Le Crotoy

Oda dikdörtgen, bir köşesi banyoya ayrılmış. Duvarlarda beyaz pütürlü, kabartma beyaz çizgili, üstünde beyaz ya da pembemsi balıkçıllar bulunan, kirli bej, plastik-kauçuk görünümlü kaplama. Tavan soluk ebegümeci rengi zemin üstüne, beyaz yapay hasırla kaplı. Döşemelik halı su yeşili (hoş görünen tek şey), üstüne seccade tarzı üç küçük halı atılmış (sahte, elbette). Dantel örtülerle kaplı, iki kanatlı, kral mavisi Fransız penceresi, dövme demirden mavi korkuluklu, küçük beyaz bir balkona açılıyor. Ötede sütlü çay rengi sular, mor çamurlar, öteki ucunda Saint-Valéry'nin görüldüğü Somme Körfezi'nin bodur mangrovları. Pencerenin yanında az çok kaz kakasını andıran bir renkte küçük bir masa, üstünde mavi gündüzsefası işlemeli beyaz bir örtü, Mitsubishi marka televizyon. Bu küçük çiçekli örtünün işime yarayabileceğini düşündüm.

Masanın karşısında, eski rüstik, hasır bir iskemle. Pencerenin sağında, mavi dal işlemeli, çok lekeli ve sararmış, kırık beyaz, tarazlanmış kumaşla kaplı bir berjer. Ortada, yanında iki kapı bulunan, aynalı bir dolap. Odanın boyutlarına göre devasa bir yatak berjerle aynı kumaşla kaplı ama onunki çok daha az eski, daha az yıpranmış. Karşı köşeye iki kitap kutumu, üstlerine de büyük yolculuk çantamı istiflemek için, bu can sıkıcı yatağı dolaba doğru itmek zorunda kaldım. Somyanın ve yatak başlığının ahşabı hardal rengine boyanmış. Yatak başlığı ayrıca, yine oldukça soluk, gül motifli, kaba ipekten bir kumaşla kaplı. Yatağın üstünde, cam incik boncuklu iki aplik, önüne kıvırdığı elbisesinde çiçekler taşıyan bir çoban kızın betimlendiği berbat bir resmin etrafında: her zamanki Fransız zevksizliği. Yatağın sağında, dolabın karşısında, hinthurmasından bir komodinin üstünde küçücük bir lamba duruyor. Lal rengi, basit, yün bir perde tüm bunları kolay kolay betimlenemeyecek lavabo-duş-wc'den ayırıyor. Yalnızca şu bilinmeli ki klozet pencerenin karşışında ve körfeze bakıyor. Klozete oturmuş, Quai Branly Müzesi'nde korunan eski Aztek yapıtları kataloğunun 68. sayfasını ayaklarımın önüne açmış olarak, o sayfadaki bazalt kayadan yapılma çok çirkin bir çıngıraklı yılana bakarken, sımsıkı kendi üstüne kıvrılan bir yılanın tam da bok gibi göründüğünü düşünüyorum, isterse kutsal bir yılan olsun; tek fark, bu bokun insan öldürebilmesi.

Ben eski Amerikan uygarlıkları araştırmacısıyım. Çok sigara içerim. Bir siyatik atağı geçirdim. Kış için "Puslu Aynalı Tanrımız", Aztek tanrısı Tezcatlipoca monografimi (monografisini) tamamlama bahanesiyle Picardie'deki bu zindana çekildim. Yirmi yıldır onun üstünde çalışıyorum. İspanyolca ve İngilizce tonlarca çalışma var bu konuda. Beş para etmezler; benden sonra hiç önem taşımayacaklar. Sadece ben tanıyorum Tezcatlipoca'yı. Buraya istiflediğim antik kodekslerle dolu iki sandık da bilmediğim bir şey öğretmeyecek bana. Yorumcularsa beni güldürüyorlar, tıpkı kendime de güldüğüm gibi. Tanrı kitaplarda değil.

Bu monografiyi bitirmeyeceğim.

Sifonu çekiyorum, yapıt kataloğuna bir tekme vuruyorum. Bacağım ağrıyor. Körfeze bakıyorum bir an, hâlâ tebeşir renginde, çamurlu, yaşanmaz. Eskimiş bir sütlü çikolata kâsesi. Koca koca bohçalarda, sırtlarında tanrılarını taşıyan şu Aztek kuklaları oraya geldiği zamanlardaki Mexico denizkulağı sanırsınız. Tamam, hepsi taşımıyordu onu, yalnızca aralarından bazıları, Tanrıların Taşıyıcıları, *teomama*. Ben de onlardan biriyim. Mexico'nun kurulmasından hemen önceki, tanrılar koca koca bohçalardan çıkarılmadan önceki, kurban etmelerden önceki, "tebeşir rengi suyun yanındaki" Tizaapan'ı andıran bu Crotoy batakhanesindeki bir Tanrı Taşıyıcısıyım.

Bohçaların içindeki tanrılar, işte beni ilgilendiren şey bu.

Bulto. İspanyolca adı bu. Amerikalılar *medicine bundle* diyorlar. Bizse "kutsal paket". Aztekler *teoquimolli*, "çıkındaki tanrı" olarak adlandırıyorlar. Çünkü bohçanın içinde tanrı var, son gönderge, söz konusu olan onun betimlemesi değil. Antropoloji ya da edebiyat değil bu. Sanat mı? Dalga geçiyorsunuz herhalde. Bir spor çanta boyutlarındaki, biçimsiz bir paketten söz ediyorum. Pamuklu kumaş ve tilki postundan yapılmış, kaktüs lifleriyle kabaca dikilmiş bir bohçadan. İçinde de yine pamuklu ve tilki ya da gelincik ya da tavşan postundan yapılmış başka katmanları var, tam ortasında da tanrılara göre farklılık gösteren birtakım nesneler. Tezcatlipoca için, görünüşe göre uyluk kemiği, balıkçıl tüyleri ve elbette, parlak, koyu renk bir taş biçiminde -çoğunlukla pirit ama cam kaya da olabiliyor- "puslu ayna" kullanılıyor. Puslu. Tanrı bu.

Lavabonun küçük aynasında, Somme Körfezi'nin zemini üstünde, yengeç yumurtası biçimindeki kafama bakıyorum. Puslu olan hiçbir şey yok, az önce yaktığım cigara dışında. Hayır, büyük yankı uyandıracak monografimle ister istemez dönüşeceğim Collège de France profesörünün kafası bu olmayacak. Bu bir tanrı kaçakçısının kafası.

Bir balıkçıl uçuyor körfezde. Zorlanıyor, yel yaman. Kış göğü bir ayna gibi açık. Balkonla körfez arasında, otelin park yeri ancak kasımda olabileceği kadar boş. Gece olmak üzere. Mükemmel. Geniş adımlarla odanın içinde dolanıyorum, tıpkıbasım kodekslerle ve kılı kırk yaran yapısalcı çalışmalarla dolu iki kutunun üstünde göze çarpan kocaman yolculuk çantamı açıyorum. *Bulto* içinde duruyor sorunsuz. Tişörtlerle sardım onu. Tezcatlipoca.

Bir süre onu okşuyorum.

O.R. üç Kasım Cuma günü aradı beni, bugün otuzu. Ekim ortasından beri burada olduğumu, çalıştığımı biliyordu. Ama sonuçta, aradığında uyuyordum, telefonu açtığımda sabahın üçüydü. Sesi çok heyecanlıydı: *Bulto* nedir biliyor musun? Kutsal paket, diyorum. Bir tanrı. Bende bir tane var, diyor. Telaşlanma, diyorum. Sahtelerinden bolca var, bolca, bolca. Benimki sahte değil, diyor. *Relación de Tlaxcala*'yı biliyor musun? Bildiğim tek şey, diyorum. Fray Diego de Olarte kim biliyor musun? O noktada tamamen uyanıyorum, yatağın ucuna oturuyorum, derin bir soluk alıyorum. Karşımda duruyormuş gibi görüyorum onu, diyorum. *Relación*'u yazdı. 1560'lı yıllardan bir Dominiken. *Relación*'da Tlaxcala şeflerinin kendisine Tezcatlipoca *bulto*'sunu verdiğini yazıyor. İşte, diyor O.R., bu o: Fray Diego Hopilerin arasında misyonerlik yaparken öldüğünde, Arizona'da bulunmuş, ardından New York'taki American Indian Museum'a konmuş. 1993'te kaybolmuş. Şimdi bende. Nerede? diyorum. Yunanlının küçük teknesinde, hemen otelinin altında, limanda. Onu yarın sana getirirler. Gerçek olduğunu doğrularsın, ben Montreux'deyim, satıcı arıyorum. Sende kalsın. Yine ararım. Bir yere kımıldama.

Crotoy'nın iyi bir zula olduğunu düşünüyor.

4'ü cumartesi günü İskender paketi bana verdi: Kimseye bir şey belli etmeden, bir yolculuk çantasından bir başkasına geçti. Hemen peşi sıra da deniz kabarmışken yola koyuldular.

O.R.'yle bir süre önce Kanada'da tanıştım, "Yazın

ve İnsanbilim" diye gülünç bir adı olan bir kongre vesilesiyle; yazar rolüne soyunmuştu kendisi, ben de Amerikanbilimci. Geçelim. Bir akşam, Montréal Limanı'nda çok hoş bir konuşma yaptık. Tertemiz bir kış göğü örtüyordu Saint-Laurent'ın üstünü. Yazının dinler tarihinin bir kolu olduğunu düşünüyordu; bense, dinler tarihinin yazının bir kolu olduğunu: Birbirimizden hoşlandık. Bana Chateaubriand'ın Tanrı'sından söz etti, ben de evrensel tanrılar yığınından. Tanrılardan ve yazgıdan konuştuk. Yücelikten, ahlaktan ve iyelikten. Yazar ya da Amerikanbilimci olmanın güzel bir şey olduğu, ama bize daha sağlam bir şey gerektiği sonucu çıktı ortaya; o akşam, sağlam bir şey olarak tanrılar üstünde karar kıldık. Yasadışı tanrı kaçakçılığı. Ondan beridir, tanrı satıyoruz, Yahuda gibi. Hırsız tanıdıkları vardı, ünlü bir Yunanlı, KGB emeklileri, İskender ve daha niceleri - o bir yazar, kesinlikle bir maceracı; bense, ün salmış her bilgin gibi akla gelebilecek her türlü müzeye ve kütüphaneye girip çıkıyorum. Yazarla bilgin, alın size iki tane mis gibi kılıf.

Pek güçlük çekmedik özetle.

İçeriden suç ortaklarımızın yardımıyla, İsviçre Ulusal Kütüphanesi'nden nesne araklamakla başladık işe: YHVH'nin sözlerini aktaran İbranice elyazmalarının çalınması bizim işimiz. Oxford'daki Bodleian Kütüphanesi'nde de bağlantılarımız var, XVI. yüzyıldan bir Kuran çıkardık oradan, Allah'ın kelamını. Sonra küçük yontular, mandalalar, sunaklar, kurban bıçakları, maskeler, her türlüsünden tanrısal figür: pişmemiş kilden küçük Chichimeca tanrılarının México Antropoloji Müzesi'nden araklanması da bizim işimiz. Tanrı ve tanrılar, işte biz bunlarla ilgileniyoruz. Bu konuda, müşteriler bize güveniyor. Ama bir tanrının kendisini ilk kez satıyoruz.

Gece oluyor, yel sert. "Gece, yel", Tezcatlipoca'nın adlarından biri bu. Zirzopun teki o. İnatçının, bok kafalının teki. Yazgılarımız üstüne kumar oynuyor, sırf gülmek, eğlenmek için, tıpkı Shakespeare'in ve Herakleitos'un tanrıları gibi. Ne zaman bir insanın yaşamında sert bir değişim yaşansa onun kahkahası duyuluyor, o zaman ortaya çıkıyor, işi bu. Köleyi efendiye dönüştürüyor, orospuyu Marilyn'e, ermişi seri katile, kralı cesede. Kendisine de pek dikkat etmiyor: Sağ ayağını kaybetti, kesik ayağının üstünde topallıyor, zaten "puslu ayna" diye bu kesik ayağa deniyor tam da, tanrısallığı bu kesik ayakta, onunla ayartıyor insanları. Büyük Ayı takımyıldızının bu aynanın ve kesik ayağın görülebilen biçimi olduğu söylenir. Ağır bir şizofren gibi oynuyor kendi bedeniyle: Bir seferinde, uyluk kemiğini Tlaxcala sakinlerine atmış, metinlerde söylendiğine göre, buna hiçbir şeye gülmediği kadar gülmüştü. Kendisine günde ortalama on zavallıyı kurban ettiklerinde de çok gülüyordu. "Yel, gece." Gece gibi karanlık, yel gibi canlı ve öngörülemez. 1540'a doğru daha taze olan bu şeytanlıkları yazıya döken Fransisken yazar Sahagún, onun kesinkes Amerikalılara yollarını şaşırtan İblis, Düşman olduğunu söyler.

Odamda duruyor şimdi, heyecan verici bir şey bu.

O.R.'nin benden istediği gibi, gerçek olup olmadığına bakmak mı? Açmadım bile onu. Tanrılar açılmaz. Açsaydım ne görecektim? Kaçınılmaz olarak, tepesine sorguç gibi balıkçıl tüyleri, "tutsak tanrı" dedikleri o uğursuz tüyler konmuş bir uyluk kemiği; tek yüzü ayna gibi parlak, koyu renk bir taş; nesneler. Tanrı tanrının içinde değildir. Ancak bir inanç eylemiyle onun gerçek olup olmadığı anlaşılabilir: Bir kâğıt yığınına, sudan ucuz tezime indirgenmiş şu kumaş yığını, pazarda ve yüreğimde her türlü sanat nesnesinden daha değerli; kurbanlar istiyor. Yazgılarımızı ikiye bölüyor. Bir kara bulutu bir milyardere dönüştürüyor. İnanıyorum. Bu pekâlâ Tezcatlipoca.

O.R.'ye söyledim: yüzde yüz gerçek.

Körfeze bakan Fransız penceresini açıyorum. Kirli sarı sokak lambalarının altında, kasım gecesinde ıssız kumsal. Balıkçıllar orada, görünmezler, gözlerini kapatmış, tanrılarına dua ediyorlar. Dibine kadar kıpkırmızı olan izmaritimi balkondan atıyorum. Küçük puslu ayna. Küçük ölüm ve yücelik özütü. Büyük Ayı da orada, pek net, tam karşıda, rüzgârlı, kötücül. O.R. bu sabah yeniden aradı. Müthiş bir alıcı bulmuş, iş tamam, Zürich'ten gelip *bulto*'yu Zürich'e götürecek, arpa onda, nakit bir servet, dokuzda burada olacak. İşte sonunda zenginiz. Sesi bir tuhaftı. Saatim altı buçuğu gösteriyor. Zürich uçağı Roissy'ye indi az önce. O.R. bir araba kiraladı, A16 yolundan iki buçuk, bilemedin üç saat içinde Crotoy'da olacak. Hakkıyla hazırlanmam gerek. Ben bir tanrı taşıyıcıyım.

Bulto'yu alıyorum, bir buçuk kilo, kocaman. Üstü pürtüklü, yer yer dökülmüş eski tilki tüyleri, kuru; oldukça iğrenç. Taşınabilir tanrı. Banyoya götürüyorum onu, sarı-yeşil klozet kapağını kapayıp üstüne koyuyorum, başka bir yer yok. Bu sunak onu, bu güzel Tezcatlipoca'yı güldürüyor olsa gerek, bu rezil, derisi yüzülmüş ciğer rengi de hoşuna gitmemiştir büyük olasılıkla. Siyatiğim, kalçamda titreşen uyluk kemiğimin parçası, asıl bu onun hoşuna gidiyordur, evinde hissediyordur kendini. Bir süre ona bakıyorum, anayurdunda konuştukları gibi konuşmayı deniyorum onunla: Ey İtoğluit Tanrımız, çok eğleneceksin. Güzel bir kurban ister misin? Evet, onunla konuşuyorum: Tanrı çalmak kolay iş değil, hakkını vermek gerek. Ayinler. Bir şeyler biliyorum bu konuda, hakkını veriyorum: üstünkörü bir dans, Nahua dilinde ilahi, kusursuz. İçindeki ayna bana bir insan sesiyle yanıt veriyor. Saat yedi buçuk. Lavabonun aynasının karşısına geçiyorum, far ve fondöten kutusunu açıyorum. Enine üç tane siyah kehribar rengi, iki tane de altın sarısı çizgi, işte Tezcatlipoca'nın başı, metinler öyle söylüyor. Özenle boyuyorum yüzümü: yaşlı yengeç yumurtası kafası, siyah; şakaklara kadar gözler, sarı; kulaklara kadar burun yine siyah; ağız ve yanaklar sarı; en sonunda da çeneye, boyna biraz daha siyah. Çirkin olmadı. Bir Collège de France öğretmeninden daha dikkat çekici. Topallamak için sağ ayakkabımı çıkarıyorum, yine de kesmeyeceğim onu. Uylukkemiğim yerinde, çok ağrıyor. Televizyonun altındaki, küçük, mavi gündüzsefası motifleriyle bezeli beyaz örtüyü alıyorum. Tanrıyı onun içine koyuyorum, sonra da hepsini boynuma düğümlüyorum, bohça tam iki omzumun arasında. Tanrı çıkını. Körfezden topladığım balıkçıl tüylerini ceketimin cebine koydum. Pantolonun sağ cebine de, silahımı.

Birkaç ayin daha. İşaretparmağımın ucunu çakımla kesiyorum, kanatıyorum, kan etrafıma, tilki postunun üstüne, gündüzsefası motifli bohçaya, sarı-yeşil sunağa sıçrıyor biraz. Nahua dilinde, omzumun üstünden, hissedilerek söylenen birkaç tümce, İtoğluit Tanrımız, Merhametli Tanrımız. Güldüğünü duyuyorum. Evet, Tanrı Taşıyıcısını tanıdı, başkasını istemiyor.

Her tanrıya bir Tanrı Taşıyıcısı. İki kişi fazla gelir.

Tüm ışıkları söndürdüm, penceredeki perdenin aralığından üçte biri boş park yerine bakıyorum. Büyük Ayı, tebeşir rengi suyun üstünde görünmeyen balıkçıllar, sert yelde, görünmez tanrıda hafifçe sallanan sokak lambaları. Saat dokuzu beş geçe, araba farları, bir Toyota ıssız park yerine kusursuz bir manevrayla dalıyor, tam ortaya park ediyor. Bir sigara yakıyorum. Toyota'dan iniyor ihtiyar O.R. Üstünde eski yağmurluğu ve gri şapkası var. Duman rengi gözlüklerini takmış. Şapkasını sol eliyle tutuyor sıkıca. Sağ elinde de kara bir bavul, mangırlar var. Gözlerini gökyüzüne kaldırıyor, bir süre ona bakıyor: Hayır, Büyük Ayı değil baktığı, arkasında kalıyor o; belki de Saint-Laurent üstündeki pırıl pırıl kış göğüne bakarak, eski dostluğu düşünüyor. Ben de düşünüyorum bunu. Ardından, başını eğip, gabardinini yele verip yürüyor. Zarafet, azim. Bir tanrı havası var onda. Yorgun, kararlı, zirzop, yaman. Tezcatlipoca. Savaş boyalarına ihtiyacı yok, şapkası ona yetiyor. Artık sigara içmiyor ama kara gözlükleri fötr şapkanın altında hafifçe balkıyor. Puslu ayna. Tamam işte. İçeri girmeden hemen önce, bavulu yere koyuyor, sağ eliyle yağmurluğunun göğüs cebindeki silahını kontrol ediyor.

Pierre MICHON

Metin, Anne-Marie Vié-Wohrer'in Orta Amerika Fransız Araştırmaları Merkezi tarafından yayımlanan Xipe Totec, Notre Seigneur l'Écorché. Étude glyphique d'un dieu aztèque'*ten (Xipe Totec, Derisi Yüzülmüş Tanrımız. Bir Aztek Tanrısı Üstüne Simgesel Araştırma) koparılmış 101-109. sayfaların kenarlarına elle yazılmış.*

51 numaralı oda, Plantin-Moretus Oteli, 11, Longue Rue Des Images Çıkmazı, Anvers

Küçük, gri çimento balkon odaya birazcık alan kazandırıyordu. Bahçe tarafında, 1942'de yapılmış bu otelin tüm binaları tıpatıp aynıydı. 51 numaralı odanınsa, beşinci katta olmak gibi bir üstünlüğü vardı, bu da balkondan çıkıldığında, uzaklarda, başka yapıların ardında, bir kilisenin çan kulesinin görünmesini sağlıyordu. Fransız penceresinin kanatlarından biri kapatıldığında, sağ köşede lavaboyla karşılaşılıyordu; nemli havlular kurumaları için ufacık, kahverengi, emaye, gazlı bir ısınma aracının karşısına, bir koltuğun üstüne konmuştu.

Havalandırmasız, sırayla bu işi iğrene iğrene yapan kullanıcılarının temizlediği tuvalet doğru dürüst aydınlatılmayan uzun bir koridordaydı. Koridorun en sonunda bir asansör bulunuyordu. Metalik, baklavalı, ağır bir parmaklık açılarak giriliyordu asansöre (en ufak dikkatsizlikte, insanın parmaklarını sıkıştırması işten değildi), kimsede bebek arabası ya da bisiklet yoksa sekiz-dokuz kişi alabilen bir tür yük asansörüydü bu aslında. Beşinci katta kalanlara ayrılmış, temiz bir tuvaleti olan banyoya gitmek için üçüncü kata inmek gerekiyordu: "yalnızca beş ile yedi arasında açık – sabah ve akşamüstü."

Küçük odada, yaylı bir somyanın üstündeki yele kılından yatak asla toplanmıyordu. Yerde, sarımtırak beyaz linolyum kaplama zeminde, mavi, mika abajurlu, az ışık veren bir lamba, ellili yılların başından kalma soluk yeşil renkli kadife kaplı bir koltuğun yanında. Ahşap, lake, çam bir çocuk masasının üstünde, kenarları deri kaplı bir sumende açık mor bir kurutma kâğıdı var; bu yazı takımının karşısında, kırmızı plastikten bir sandalye. Girince sağdaki kapının yanında, bir taburenin üstünde inci grisi bir bavul duruyor, aslında hoparlörü menteşeli kapağa eklenmiş, Philips marka bir pikap bu. Yatakla lavabo arasına sıkışmış, dar, küçük bir masa, üstünde de, mavi neon bir lambanın altında dilinim kabı. Adli zabıta baskını durumunda, hemen hepsi karanlık işlerle uğraşan beşinci kat sakinlerinin küçük masalarını, değerli taşları ve elmas tozu kaplarını odadaki tek giysi dolabına saklayacak kadar zamanları oluyordu. Kapıyı iki kez kilitledikten sonra, denetmenler karanlık asansörün içine doluşup yukarı çıkarken, geniş merdivenlerden kaçabiliyorlardı.

Bu iğrenç otelin beşinci katı (yalnızca 51 numaranın küçük bir balkonu vardı) Papadiamantides adındaki bir kaçakçı tarafından bir yıllığına kiralanmıştı, uzun zamandır odaları elmas yontuculara dağıtan iki Anversli elmasçıyla işbirliği yapıyordu bu adam. Genç bir Hollandalıyı saymazsak, dilinimcilerin hepsi ya da hemen hemen hepsi, Güney Hindistan'dan gelme, pasaportsuz, sabit bir evi bulunmayan, elmasçı çıraklarıydı. Anvers Limanı'na gizlice girdiklerinde, Amsterdam, Leiden ya da Lahey varoşlarında yüzyıllardan beri yapılan ve elmas yapraklarını dilimlemeye (Fr. *clivage*, İbranice-Fransızca *kliver* yükleminden türetilen eski Felemenkçe *klieven*'dan) ya da elmas parçalamaya dayanan bu eski mesleğe ilişkin hiçbir şey bilmiyorlardı.

İşin eğitimi bir cismin sertliğiyle, bir başkasının onun içine girmesine karşı gösterdiği dirençle (sertlik bir malzemenin direnciyle tanımlanabilir) ve taşın arı olmayan kısımlarının hedeflenebilmesi için bir çatlak çizgisinin saptanabilmesiyle ilgilidir. Dilinimci öncelikle parmaklarını sertleştirmeli, onları gaz ocağının, elmas tozu kabının karşısındaki masaya konan Bunsen Beki'nin alevine duyarsız hale getirmelidir; taşı, orta kısmı şişkin, aşağı yukarı yirmi santimetrelik bir çubuğun ucuna sabitleyen, kahverengiye çalan bir tür çimentoyu ya da balmumunu yoğururken yanmaya alıştırması gerekir kendini. Elmasta bir kusur olduğunda, çırak dilimlenecek taşı çubuğun ucuna yerleştirilmiş bakır bir kalıba kapatır, kaynar balmumu da bunun üstüne yapışır, sonrasında sopanın tutulabilmesi için bir soğuk su kâsesine daldırılır; ardından, ikinci bir çubuğun ucuna bir elmas parçası oturtulduktan sonra, çırak bu kalıntının yardımıyla, yarığın dibinde, girintisi belirgin bir V ortaya çıkana dek dilimlenecek taşı aşındırır. Bunlar pırlantanın içinde görünen küçük yarıklar, kusurlardır, dilinimci onlara göre hareket eder. Onun amacı: bir taşın lekelerini gidermek için onu ikiye ayırmaktır. Elmasta, başka kristallerin aksine, birçok çatlak çizgisi bulunur. Birbirine koşut, sekizyüzlü dört yönde bölünür. En iyi dilimleme yüzeyi cismin en düşük dirençli yüzeyidir.

İşlem bir hamlede bitirilir. Çırak, kuramla uygulamanın birbirine denk oluşuyla ortaya çıkan bir beden hareketi yapar gibi, sanki tek hamlede, bir dizi işlem gerçekleştirir: İşlenmemiş bir elmas tabakası yardımıyla yarığı bir çırpıda işaretledikten sonra, bir yandan çatlağı büyüteçle inceleyen dilinimci, V'nin kenarlarının arasına çelik bir lam yerleştirir, bunu yaparken zemine ulaşmamaya özen gösterir ve ahşap bir tokmakla hızlıca vurur üstüne. İşlem başarılı olursa, kusurlu bir elmastan iki tane kusursuz elmas çıkar. Bu işlem yapılmazsa, kristal kırılır. Bunun üstüne, küçük bir kürekle, elmas tozu toplanır; başka bir taşı yarmakta, değişmez V'yi işaretlemekte kullanılacak kalıntılar ayıklanır, işlemin başarıya ulaşması bu V'ye bağlıdır. Yapılan işin sonucu başarıya ulaşsın ulaşmasın, her şey bir an içinde gerçekleşir.

Zamanın dışında, kapalı bir uzamda geçirilen o günlerden sonra, genç Hollandalı arada sırada geceyi Hintli iş arkadaşlarıyla birlikte geçiriyordu. Ama genelde, Schelde kıyılarında kız avlamaya ya da bir akşam, Felemenklilerin yaşları belli olmayan kadınlarla dans edip bira eşliğinde, ızgara köfte ve patlıcan dolması yemeye gittikleri Yunan lokantası *Amsterdamer*'de duyduğu Zorba tarzı müziği dinlemeye gidiyordu tek başına. Gün içindeyse çırak, 51 numaralı odada, limonlu çay içerek işlenmemiş taşları dilimliyordu; akşamlarıysa, asla anlayamayacağı şeyin peşine düşüyordu. Bir dayısı yüzünden, ne nedenini ne de nasılını bilerek, bu Anvers macerasına atılıvermişti günün birinde.

Bir sabah, kaçak işçileri toplamaya gelen yabancılar polisi beşinci kata baskın yaptı. Hintliler kaçacak zaman buldular. O ise, herhangi bir eksiği bulunmadığından, otuz altı ay geçerli dilinim çıraklığı sözleşmesini çıkarıp gösterdi. Isıtmasız küçük bir şubeye götürdüler onu. Üşümüştü. İçecek hiçbir şey vermediler. Hakaret ettiler. Şöyle dediler: "Siz diğerlerinde, her zaman aslının tıpkısı sahte belgeler oluyor. İpi olmayan ip cambazlarısınız siz, mesleği olmayan çıraklarsınız, amaçsız araştırmacılarsınız. Ürettiğiniz şey sadece kendinizsiniz. Her zaman haklısınız." Saatler boyu Felemenkçe sorguladılar onu. Eski Leh direnişçisi, vücudundan sıkıntısı olan her yaştan kadına ortopedik korseler satan dayısından söz etti. Fabrikası, Longue

Rue de l'Argile (ondan beri *Lange Leemstraat* oldu bu sokağın adı) 179 numaradaydı, Anversliler arasında hatırı sayılır bir kişiydi dayısı – ama onun aynı zamanda komünist olduğunu söylemeyi unuttu. Öğleden sonra, geççe bir saatte kendisini salıverdiklerinde, tam olarak neler olup bittiğini anlayamamıştı.

Otele doğru yürürken, Plantin-Moretus Bulvarı'yla "çocuklar ve yaşlılar için" olduğu söylenen Kent Parkı'nın köşesinde, Van Leirus Sokağı 19 numaranın hizasında, bir sütuna asılmış, Saint-Louis de Berchem-Sainte Agathe Disiplinlerarası Merkezi'ndeki "Olivier Rolin'in Geometrik Konferansları"nı haber veren bir afişin karşısında durdu: İlk akşam, "Proust Sırça Otel'de" vardı; ikinci konferansın konusuysa "Nausikaa Odysseus'u nasıl buldu?" adını taşıyordu. Bu ilan sütununun çevresinde dönerken, bakışları, pişmiş topraktan tuhaf bir nesneye takıldı: İki ağzı pubis biçimli bir yüzde birleşen, örgülerle bezeli ve yanında dilinimci çubuğu gibi uzun ince bir alet, belki de bir meşale taşıyan bir kadın figürüydü bu; reklamın arka planında, Magritte'in gizlenmiş bir cinsellik organı görünüyordu. Bu çağdaş sanat sergisinin toprak renginde yazılmış, zar zor okunan başlığı şöyleydi: "Demeter'in Cinsellik Organı Priene'de". İlanın tepesinde de, "Sergi 8 Ekim 2010'a..." yazılmış, sonra 2010'un üstü çizilip "*2009*'a kadar uzatılmıştır" yazmaktaydı.

Bu sütunun karşısında olduğu yerde, şaşkınlıktan donakalmıştı, Hintli arkadaşlarının kendisine ıslık çaldıklarını duymadı; beşinci katın Yunan patronu (öteki iki elmasçının ortağı) Temistokles Papadiamantides Bakü'ye gelmişti. Limandaki Lübnan lokantasına davet ediyordu dilinimci kiracılarını.

Ayrım göstermeksizin her şeyin ticaretini yapan bu adam uluslararası mafyadandı. Tarihin yaşam için yararlarından ve sakıncalarından söz ediyordu durmaksızın, farklı deyimlerdeki sözleri birbirine katıyor, ölüm tehlikesiyle geçirdiği ilk yıllarını anlatıyordu. İyi bir Yunan ailesinden gelen bir delikanlıyken, Amsterdam'da tanrıbilim ve felsefe eğitimi almak üzere Delphoi kasabasından ayrılmıştı. Gittiği kentte birkaç *marrano*[1] elmasçıyla tanışmıştı, bu adamlar XIV. yüzyıldan beri orada yaşayan o dilinimci topluluğun soyundan gelmekle böbürleniyorlardı.

Felsefeci çırağı olan Temistokles'in hiçbir okuma programı yoktu. Zaten başka programı da yoktu ya. Kendini tutkuların geometrisine kaptırmış, Buxtehude'ye hayran olmuş, altmışlı yılların ortalarında, Lahey varoşlarında, birtakım tuhaf *happening*'lere, bir dilinimci ustanın yanında elmasçılık mesleğinin inceliklerinin öğrenildiği, uygulamaya dayalı atölyelere katılmıştı. Eşsiz bir sertliğe sahip olan bu kristal içerdiği çelişkiyle var olur: Değeri kusursuzluğunda yatmasına karşın, (neredeyse) her zaman kusurludur.

Papadiamantides, geceyi, ne Hintlilere ne de genç Hollandalıya gerçek anlamda ilgi göstererek, içki içmekle, şarkılar söylemekle ve çene çalmakla geçirdikten sonra, orada ivedilikle denetlemesi gereken bir şey olduğunu söylediği Beyrut'a gitti sabah erkenden. Bu ani gidiş elmasçıları şaşırttı. Hollanda'da geçirdiği çılgın yıllardan sonra, zamanını hiçbir şey yapmadan, dilinimci darbesi gibi aldırışsız bir sertlikle geçirmişti bu adam. Her zaman kaldığı, Hamra Sokağu'nın köşesindeki Cavalier Oteli'ne vardığında, Beyrut'a daha önceki bir gelişinde depoya bıraktığı eski körüklü çantasını aldı. Çantayı tıkabasa dolduran, özenle sınıflandırılmış kâğıtların arasında, "s.ı.r.ç.a." başharflerini taşıyan küçük bir zarf buldu, bunun ne olduğunu hiç

[1] İspanya tarihinde baskıdan kurtulmak amacıyla Hıristiyanlığı benimsemiş görünmelerine karşın gizlice Yahudiliğin gereklilik lerini yerine getiren Yahudiler ve onların soyundan gelenler için kullanılan küçültücü ad. (Ç.N.)

anımsamıyordu; bir dizi dağınık anlatı (aynı zamansız ve mekânsızlar çetesinden, eski bir arkadaşının belirli aralıklarla kendisine yolladığı tuhaf otel odası betimlemeleriydi bunlar, o da asla neden bunların başkasına değil de kendisine yollandığını anlayamamıştı); arkasından, Yunanca, İbranice ya da Felemenkçe yazılmış bir yığın aşk mektubunun altına kaymış, 1677'de yayımlanmış, bir zamanlar Amsterdam'da bulduğu, tamamlanmamış bir kitapçığa rastladı.

Bu küçük Hollanda kitapçığının arkasına, kurşunkalemle, her katman ya da elmas dilinimcisinin görünmez Uluslararası Saf Karbon Birliği'nin bir parçası olabilmek için uymak zorunda olduğu temel birkaç kural not edilmişti. Bu broşürü kim için, nereden ve nasıl aldığını da anımsamayan Papadiamantides (ama broşürdeki ilk sözcükleri asla unutmamıştı: "Deneyimlerim bana şunu öğretti ki..."), onu DHL'le, Anvers'e, Longue Rue des Images çıkmazı, Plantin-Moretus Oteli, 51 numaraya yolladı.

Maurice OLENDER

Yük memuru kamarası, X konteyner gemisi...

Diyeceğim, standart bir İbis Otel odası gibi bir şey. Bir tek televizyon eksik. Ama, buna karşın, nasıl çalıştırıldığını bilmediğim bir CD çalar var, bana pek de hayra alamet gibi gelmeyen, birbirine dolanmış, uzun elektrik kabloları çıkmış aletten. Bununla birlikte, bu kablolar CD çaları taşıyan rafların dayandığı bölme duvarı boyunca iki metre kadar ilerleyip bir yerde kesiliveriyorlar. Bu rafların bulunduğu mobilyada ayrıca bir giysi dolabı ve bir berkitme bölümünün içine yerleştirilmiş -bir flüoresan tüple aydınlatılıyor-, belki de bir yazı ya da çalışma masası olarak adlandırılması gereken bir levha bulunuyor. Yazı ya da çalışma masasının eşi olan ve altında, emekler duruma geçildiğinde, kötü havalarda sabitlenmesini sağlayan metalik bir düzeneğin görüldüğü, kolçaklı koltuğun dışında, odada bir tür divan ya da kanepe var. Kuşkusuz iki kişi yan yana oturabilir üstünde: Ne var ki, yaşamım boyunca, böyle bir şey hiç olmadı.

Kanepeyi uzunlamasına alırsak, ona dik açı oluşturan çift kişilik yatak (kanepeyle ilgili düşüncelerim bunun için de geçerli) odanın toplam alanının yaklaşık % 25'ini kaplıyor, ilk bakışta, yatağın köşesine yerleştirilmiş tuvaletten % 10 daha büyük görünüyor. Tuvalet odadan üstünde bir kapı bulunan bir bölme duvarıyla ayrılıyor; makinelerin kullanıldığı kimi koşullarda, genelde titremeye başlayan ilk nesne bu kapı oluyor. Oda bir lombardan –demek ki kare bir delikten– aydınlanıyor, bir türlü fırsatını yakalayıp da ölçemedim onu.

Çoğunlukla, bu lombardan görünen manzarada düzenli biçimde, gerektiği gibi istiflenmiş, paralelyüzlü, yirmi ayaklık konteynerler oluyor, bunlar da bu şekilde taşınan malların yüklenip boşaltılabilmesi için açılan iki kanatlı, küçük yüzlerini gösteriyorlar. Bu manzara, hep aynı olsa da, kısa aralıklarla, her iskelede birazcık farklılık sergiliyor, bazı konteynerlerin yerini başkaları alıyor, hatta kimi zaman istiflerinin oluşturduğu duvarda açılan, yeniden gökyüzünün görülmesini sağlayacak denli geniş bir gedik ortaya çıkıyor, bazen de kazara son iskelede gemiye binmiş küçük kara kuşları ya da denizin üstünde yolunu yitirmiş ve konteynerlerin arasında kendilerine geçici bir sığınak bulmuş kuşlar görülebiliyor.

Sözgelimi, bugün, XXI. yüzyılın ilk yıllarından birinin 10 Kasım Çarşamba günü, güverteye yüklenmiş konteynerlerden, lombarın sağında ve solunda üst üste altışar tane bulunuyorken, tam karşıda yalnızca beş kat var ve bu mazgaldan da yakında sağanak yağmur boşaltacak olan bulutlu gökyüzünden bir parça görünüyor. Yağmur kesildiğinde ve güneş yeniden yüzünü gösterdiğinde, konteynerler üretildikleri atölyelerden, büyük olasılıkla Çin'deki Shenzen bölgesinden çıktıklarındaki gibi parlayacaklar bir süre.

Aralarında son limandan beri boş bir alan bulunan, 40 ayaklık iki konteynerden soldaki gece mavisi, sağdakiyse kiremit kırmızısı. Gece mavisi konteyner American Bureau of Shipping, kiremit kırmızı konteynerse Bureau Veritas sertifikalı. İkisine de en çok 30 tondan biraz fazla yük konabiliyor: tam olarak söylemek gerekirse 30.480 kilo. Kimi zaman geminin gerçek konumunu olmasa da, en azından seyrettiği bölgeleri gökyüzünün rengine, bulutların biçimine, kötü havaların ritmine ya da başka atmosferik olaylara bakarak anlıyorum. Sözgelimi, Avrupa-Asya ekseni üstünde, batıdan doğuya doğru gittiğini bildiğimden, fırtınaların sıklığı ve şiddeti bugün geminin Malakka Boğazı'na girdiğini tahmin etmemi sağlıyor.

Kaçak yolcu olduğumdan -11 Eylül'den bu yana uluslararası deniz ticaretinde alınan ve süvarinin yeni yükümlülükleri arasına, gemide bulunan kişilerin, her adın yanında bir de fotoğraf bulunacak şekilde, eksiksiz listesini kaptan köprüsüne asma görevini de katan güvenlik önlemlerine karşın–, kaçak yolcu olduğumdan neredeyse hiç çıkmıyorum kamaramdan -sözde yük memurunun kamarası bu–, yalnızca bazı gecelerde, kaptan köprüsüne gidiyorum, orada da gizli bir kural uyarınca rahat durmam, seyir defterini karıştırmamam ya da kumar masasıyla ilgilenmemem gerekiyor.

Şirketin bana karşı ister istemez sergilediği bu tuhaf ev sahipliği, kuşkusuz zamanında onlara büyük hizmetlerde bulunmamdan kaynaklanıyor, doğal olarak bu hizmetlerin ne olduğunu açıklamayacağım. Beni belirsiz ama uzak bir tarihten beri, bu şekilde olduğum yere mıhlanıp kalmak, bıkıp usanmadan betimleme yapmak, aynı şirketin birçok silahlı gemisinde dünyayı dolaşmak zorunda bırakan koşullardan da söz etmeyeceğim. Zaten benim de böylesi alışılmadık bir durumun nedenlerini tam olarak ve kesinkes bilip bilmediğim de belli değil.

Gemide yanımda olan tek kitap Pléiade dizisi kapsamında hazırlanan *Yitik Zamanın İzinde* baskısı. Başka hiç kitap olmadığından, yalnızca onu tekrar tekrar okuduğum için, metni ezberlediğim düşünülebilir, ama bu kesinlikle yanlış. Çünkü harap olmuş aklımın durumu, hiç kuşku yok ki içinde bulunduğum yörünge hareketi yüzünden daha da ciddileşiyor ve ne zaman Proust'u yeniden okumaya kalksam, metin onunla ilk kez karşılaşıyormuşum gibi yepyeni bir hal alıyor. (Eskiden, ben özgürken, ünümün ve gücümün doruğunda, bu döngüye Tenten'in maceralarında da tanık olmuştum, en azından yeni bazı ayrıntılar yakalayarak sonsuza dek okuyabilirdim onları). Gelgelelim, bugün, Balbec Mendireği'nin üstünde, anlatıcının, "küçük çete" olarak tanımlanan o genç kız grubunu gördüğü bölüme geldiğimde, olağanüstü ve su götürmez bir açıklıkla bunu otuz yıl kadar önce, yine bir gemide, ama bu kez bir ırmak gemisinde okuduğumu anımsadım; o gemide gayet meşru bir yolcuydum ve belleğim beni yanıltmıyorsa, dalkavukluğa varan, ürkek bir saygı uyandırıyordum çevremdeki insanlarda.

O zamanlardan söz edebilirim: O dönemde, Papadiamantides'le birlikte, bütün ya da toz halinde gergedan boynuzu işi yürütüyordum, işlem merkezi Zaire'nin kuzeyinde, Sudan sınırına yakın bir yerde, o günlerde hâlâ çok sayıda beyaz gergedana rastlanan Garamba Ulusal Parkı'nın içindeydi. Komşu ülkede süregelen savaşa, başka engeller de eklenince, bu ticaret riskli bir hal alıyordu, ama dudak uçuklatacak kazancımız bu riskleri zararsız görmemize yol açıyordu.

O sıralar, günün birinde ticaretten ve hatta benzerlerimin bakışlarından kaçacağımı hayal bile etmezdim. Kongo'dan yukarı doğru, Kisangani'ye kadar giden konvoyların güzergâhı boyunca, iskelelerde ayağımı karaya bastığım anda, sizi temin ederim ki amacım, çevremin birbirleriyle yarışırcasına "Mundele! Mundele!" diye bağıracak bir avuç sümüklü veletle çevrilmesi ya da onların beni izlemesi değildi. Hayır, asıl sessizlikti bana eşlik eden, yalnızca özel becerilere sahip ve kokuşmuş birkaç nüfuzlu kişinin bana başlarını ve gövdelerini eğerek selam vermeye izinleri vardı, bunu kimi zaman sırf gözüme girmek için yapıyorlardı, kimi zaman da Papadiamantides'in maşalarından birinden gelen bir mesajı ulaştırmak için.

Bugün, kuşkusuz, kaptan köprüsünde, yine sessizlik eşlik ediyor bana, daha doğrusu hoş görüyor varlığımı. Ama bu sessizlik aynı sessizlik değil, ne demek istediğimi anlıyorsanız.

Jean ROLIN

241 numaralı oda, Pointe Oteli, Cartier Bulvarı, Rivière-du-Loup (Québec)

Gün içinde, Chaleurs Körfezi'nden gelirken, Chic-Chocs Dağları'ndan geçmiştim. Uzun süre boyunca, üstünde ölü bir Kanada geyiğinin bağlı olduğu römorklu bir kamyonetin arkasında yol aldım. Parçalanmış hayvanın görüntüsünde, römorkun her tarafından taşan ve bir iblisinkini andıran o toynakları çatallı ayaklarında aşağılayıcı bir şey vardı. En sonunda onu sollamayı başardığımda, yanından geçerken, römorkun önünde, üstünde yünlü bir tür kar raketi bulunan o kocaman kafayı gördüm. *Lonely Moose*, yalnız Kanada geyiği, başka bir yaşamda benim şifreli adım buydu. Tüm bunlar pek hoşuma gitmedi.

241 numaralı oda üstüne söylenecek çok bir şey yok. Oraya akşama doğru varmıştım. Duvarlar sütlü kahverengi, tavan beyaz, döşemelik halı turkuaz. Üstlerine kestane rengiyle mavi arası çiçek motifleriyle bezeli birer yatak örtüsü örtülmüş[1], iki tane çok büyük yatak. Çekmeceli, beyaz melaminden uzun bir mobilyanın üstünde, görüntümün ben farkında olmadan içinden geçip gittiği, beyaz çerçeveli bir ayna. Belki de

[1] "Yatak örtüsü örtülmüş": Biliyorum, bu deyiş yüzünden daha önce de eleştirildim; daha iyisini bulun o zaman. (Yazarın notu)

görüntüm yoktu o gün. Beyaz fiskos masası, Toshiba marka bir televizyonu taşıyan buzdolabı-mobilya, ofis tarzı, bej, dönen ve tekerlikli iki koltuk, üstünde "üç Fin balinası (*fin whale*)" olan bir afiş. Bavulumu bile açmadan, batmakta olan güneşin ışığından yararlanmak için, balkondaki beyaz plastik sandalyelerden birine oturmuştum; balkonun zemini gri, "fare tüyü rengi" bir döşemeyle kaplıydı ve turkuaz metalik çerçevelere gerilmiş, yine aynı renkteki siperler komşularından ayırıyordu onu. Sağda, otelin başka bir kanadı görülüyordu, beyaz yalancı ahşaptan lambrilerle kaplı ve tepeleri yalancı kayağan taştan iki kat (bunca yalancılığa yine de bütün halinde çirkin değildi). O kanattan bulunduğum tarafa doğru, penceremin altından, beyaza boyanmış ahşap korkulukların arasından ahşap bir köprü geçiyordu. Aşağıda, ırmak boyunca ilerleyen bir yola dek ağaçlar diziliydi: sonbaharın kızıllaştırmaya başladığı yapraklılara karışmış karanlık kozalaklılar. Yaşlı bir kadın ahşap köprünün üstünde, başında beyaz bir kasket bulunan, omuzlarını bir battaniyeyle örtmüş bir ihtiyarın oturduğu tekerlekli sandalyeyi itiyordu. İkisi güneşin batışını yorumluyorlardı.

Bakır tellerle örülmüş gibi duran bir sızıntı, karanlık, handiyse kara dalgacıklarla yol yol, kurutulmuş lavanta rengi suyun üstünde titreşiyordu. Çok geniş bir ırmak kolunun öteki tarafında, pembe bir sisin içinden, tatlı bir gri tonunda adalar seçiliyordu zar zor. Ufkun üstündeki gökyüzü açık mordu, ardından yeşile çalan üzüm sarısına dönüyordu, ardından da gözlerimi kaldırdığım oranda koyulaşan bir laciverde (Claude Monet tarzı bir resim vardı orada...). Solda kuşkusuz kuzey yakasındaki Saint-Siméon'dan gelen küçük bir geminin karaltısı irileşiyordu gitgide. Bana pek güzel gelen dalga çatlamasının sesi rahatça duyulabiliyordu. Beyaz plastik sandalyede oturmuş, o sıra okumakta olduğum kitabı açmıştım: *Doktor Jivago*, ikinci kitabın on birinci bölümünün VII. kısmı, "orman kardeşliği". Sahne çetecilerin kamp kurdukları orman içindeki bir ağaçsız alanda geçiyor: "Gittikçe uzaklaşmakta olan akşam güneşi ağaçların arasından içerilere kadar etki yapıyor, şeffaf yaprakları yemyeşil parlatıyordu. Yuri çocukluğundan beri ormanı severdi, hele akşamüzeri, güneş batarken ormanda dolaşmaya bayılırdı. " Ah... belleğimin derinliklerinde bir şeyler kımıldamaya başlıyordu. Bir an okumama ara verip, defterime notlar almaya koyuldum, şöyle yazmışım: "Ormanın içlerinde ışık kılıçları, sütunları. Bkz. Nabokov. Fazlasıyla Ruslara özgü bir duygu." Saint Petersburg'dan yaklaşık yetmiş kilometre uzaklıktaki, Nabokov ailesinin eskiden yaşadığı Vira'ya gittiğimi anımsıyordum, o sıralarda bir kitap yazıyordum, *Paysages originels* (Ana Görünümler), çocuklukta görülen bazı yerlerin yazarların yapıtlarına etkileri üstüne bir araştırmaydı bu – "fosil parıltısı" olarak adlandırıyordum bu etkiyi. Yeşil dalların kestiği, ince ışık tabakalarında böceklerin balesini izlerken, sık sık yinelenen bu imgelerin Nabokov'un tüm yapıtında mutlulukla cinselliğin[1] arması gibi kullanıldığını anladığım hissine kapılıyordum. Şimdi de Pasternak, metnin hemen sonrasında, yine orman ışıklarının kendisinde uyandırdığı coşkunluğunu okura hissettirmek için, kürek kemiklerinin altından fışkıran kanatlar imgesini kullanıyordu. Burada da Nabokov okuyor gibiydim! "Anının düşle birleştiği anda hepimizden çıkan kanatlar"ın anlatıldığı *Look at the Harlequins!*'i (Soytarılara Bak!) okuyordum sanki. Jivago'da, sonraki tümce, benim *Görünümler*'imdeki bir tanıma neredeyse harfi harfine uyuyordu...: "Her

[1] Ormandaki ışık oyunları gibi durmaksızın yinelenen, mutluluğun ve cinselliğin betimlemesiyle ilgili imgelere tüm yapıt boyunca öylesine sık rastlanıyor ki bunların yüzde birini alıntılamak bile sıkıcı olabilir. Altın sineklerin asılı durduğu ışınlar. Işıltılarla pul pul ırmak. Ada kumun üstünde kımıldayıp duran güneş lekeleriyle oynayarak karşılar Van'ı", *Paysages originels*, s. 49. (Yazarın notu)

yetişkinin kendine kazandırdığı, ardından sürekli olarak kullandığı ve ona kendi iç yüzü gibi gelen bu ana imge..." Çok ender, çok gelip geçici (yeşil ışın) ama her okurun bir gün kesinkes tatmış olduğu o olağanüstü izlenime kapılmıştım, yalnızca yazarın düşüncesini anlamakla kısıtlı değildi bu, tam tamına o düşüncenin *içinde*, onu ifade eden somut imgelerin, çağrışımların içinde olmaktı. Pasternak'ın kafasının içinde olmak! Anının düşle birleştiği yerde! Kanatların ortaya çıktığı yerde! Bunun arkasından gelen, Jivago'nun uykuya daldığı, hareketli ışık lekeleriyle benekli, kelebeklerin kuşattığı görünümler de, sanki duyduğum sevinci eksiksiz kılmak için, yine bütünüyle Nabokov'u akla getiriyorlardı. Okurken, aslında yazan benmişim gibi hissediyordum. Beynimde tuhaf bağıntılar çıtırdıyordu. Heyecana kapılıp kitabı kapattım, gözlerimi kaldırdım.

Gökyüzünün sol bölümünde, pudra ponponlarının kahverengi-pembe, uçucu görünümünü taşıyan, incecik bulutlar ortaya çıkmıştı. Bir değişim yaşanıyor, dönüyordu tüm renkler, içlerine daha kalın, daha bayağı bir şeyler yayılıyordu, bakır sızıntı alevden bir saban izine dönüşmüştü, bulutlar ufkun üstünde şarap tortusu renginde bir çökelti oluşturuyorlardı. Az önceki küçük gemi şimdi zar zor seçiliyordu. Dümen suyu suyun üstünde kara dalgacıklarla tırnaklar açıyordu. Donuk cam küreler yanıyordu ahşap köprü boyunca. Tekerlekli sandalyeli çift, manzaraya egemen bir noktada durmuş, meteorları yorumlamayı sürdürüyordu. Narçiçeği rengindeki güneş kurşundan bir çizginin ardına batıyordu, onun tam kaybolacağı sırada bulutların kenarlarını zümrüt yeşili bir parıltıyla süslemesine hiç şaşırmadım.

Sabahın dördünde, akşam Québec'in 22. Rıhtımı'ndan Halifax'a gitmek üzere demir alan *Queen*

Elizabeth II penceremin önünden geçti. Bir aylanın gelişini haber verdiği ve sonra da izlediği, ışıklandırılmış geminin ağır ağır geçişi başka koşullar altında olsa beni derinden etkilerdi. Tıpkı rezil Antonomarenko'ya ilaç verilip uyutulduğunu ve kendisinin artık birinci sınıf bir kamaraya kapatılmış halde, elimizde olduğunu haber veren, önceden kararlaştırılmış işaret gibi - üst güverteden, sonsuzluk işareti çizen bir cep lambası. Ama o gece, yeşil ışını görmeden az önce, Pasternak'ın kafasının içine girişim kadar bana şaşırtıcı gelen hiçbir şey yoktu.

Olivier ROLIN

6704 numaralı oda, Donghu Oteli, 70 Donghu Road, Şanghay

Oda boş ve epeydir kimse burada kalmamış gibi geliyor bana. Kokusuz değil, ama oldukça uzun zaman önce burada bulunan kişilerin donup kalmış kokuları duyuluyor sadece; örtülere ve döşemeye sinmiş tütün kokusu bir zamanlar banyo karolarının temizlenmesinde kullanılan deterjanın ve klozeti mikroplardan arındırmak için, benim gelişiminden az önce birinin attığı, suda hâlâ çiftrenkli, pul pul izleri görülen mavi, köpüren tabletin kokusuna karışıyor. Otel görevlisinin beni götürdüğü uzun koridordan geçerken, kattaki bazı odaların onarımda olduğunu fark ettim. Hiç kuşku yok ki altıncı katı bütünüyle kapatmaya karar vermişler, sonra da, bu mayıs ayının hafta sonunda yabancı turistlerin akın etmesi üstüne, büyük giriş holünde beni başımı sokacak bir yer olmaksızın bırakmak yerine, onarımına henüz başlanmamış bir odayı açmaya razı olmuşlardı.

Koyu kırmızı, zincirli ahşap kapı, sağdaki duvarı dikdörtgen kesitlerle dolu bir filayağının ardından, koyu ahşap bir çerçeveye yerleştirilmiş bir pano-aynadan oluşan, yaklaşık iki metreye iki metrelik küçük bir dalana açılıyor, pano-aynanın arkasında da banyo bulunuyor. Ayakta kendime bakıyorum: İki gün önce

Beijing pazarından aldığım, çiçekli, sahte Kenzo takımın bana pek yakışmadığını fark ediyorum. Bunu satın aldığım küçük dükkânın aynası hafif eğik olsa gerek. Beyaz deriden, düz terliklerimi de yine Beijing'den aldım ama takıma pek uymuyor gibi. Yüzüme bakmak için biraz yaklaşıyorum. Ne demeli? Saç baş dağınık, tren yorgunluğundan ileri gelen kızarıklıklar ve mor halkalar. Göze çarpan başka bir şey yok. Döşemelik halı kiremit kırmızısı ve bej çizgilerle yanlamasına çizgili. Unutulan bir ütü filayağının dibinde; koyu ahşap bir küpün içine yerleştirilmiş, çalışmayan, Shuanglu marka bir minibarın fişinin takılı durduğu beyaz prizin yakınlarında bir iz bırakmış. Girişin karşısındaki duvarın köşesinde, yine koyu renk ahşap süslemeli, mat camdan iki sürmeli panoyla kapatılan bölmenin içinde giysi dolabı var. Bu duvarın gerisi boş, bir tek, tunç rengi, metal çerçeveli iki parçadan oluşan ve genişliği yaklaşık bir metre, yüksekliği de seksen santimetre olan küçük bir pencere açılmış. Pencerenin önünde ve tüm duvar boyunca, çok hafif işlemeli tül perdeler ve bej-altın sarısı çizgili, kaba kumaştan pilili perdeler var. Solda duran ve her zaman öncelikle yanlış tarafa çektiğim ipler aracılığıyla açıyorum onları ve gürültüsünü patırtısını duymadan kıpır kıpır Donghu Road'u, iki yöne giden arabaları, bir destek duvarı üstünde aceleyle bir şeyler yapan işçileri, Huaihai'nin köşesinde önce kırmızı ardından yeşil ışıkların balesini, parmağında üç tanesini sallarken iki bavul anahtarlığı da arkasına takıp çeken ışıklı anahtarlık satıcısını, yayaların arasında kendilerine yol açan bisikletleri, yolları kesişen yeni Beijing burjuvalarını, iş ve kalacak yer arayışındaki gelip geçici ahaliyi, eşsiz genç kızları ve bakımsızlığa terk edilmiş hastaları seyrediyorum. Yarın yapı duvarı neredeyse bir eve dönüşecek –kent geceleri ot gibi büyüyor– ve kaldırımlar da aynı insanların ve başkalarının ve daha başkalarının ve benim, üstlerinden geçip gitmemize tanık olacaklar, çünkü bu kent tüm dünyayı ağırlamak için kapsadığı alanı daha da canlandırıyor. Alacakaranlığın vaadi bu: Dükkânların vitrinleri aydınlanıyor, sokak lambaları yanıyor, dünya üstündeki hemen hemen bütün diğer kentlerin tersine, hiç kimsenin eve dönüyormuş gibi gözükmediği bir başka zaman başlıyor.

Gecenin albenisinden yararlanmaya daha henüz pek hazır olmadığımdan, ayrıca otellerde grinin gün ışığını ortadan kaldırdığı ve gezginlerin yarın olana dek gerçek anlamda sahip olacakları yere postu serdikleri saatleri sevdiğimden, kıtık doldurulmuş beyaz bir tüy yatakla kaplı iki ikiz karyoladan birine uzanıyorum. Karyolaların arasında, küçük bir konsol-komodinin üstünde elektrik düğmeleri ve az sonra Wu Pi-yun'u aramak için kullanacağım Northern Telecom marka bir telefon var. Üstte, yatakların paralelinde, krom kaplı, metal, karınlı çubuklu bir aplik asılı; daha yukarıdaysa, hem çerçeve hem kalabalık oluşturan, gülen ya da yüzünü ekşiten buruşuk yüzlerle çevrili, tam olarak üç tutam otun içinde sıçrayan bir kaplan gravürü duruyor. Küveti doldurdum: Yıkandığım zaman, bu odada ne kadar zaman geçirecek olursam olayım, kendimi hem evimde, hem de başka yerde hissedeceğim. Ne zaman bir otel banyosundaki küvetin, genelde olduğundan daha sıcak olan suyuna dalsam, gelip geçici odamı, tek bir gece için bile olsa içinde uyuduğum ve mekânlara ilişkin belleğimin hücrelerini oluşturan tüm odalara dönüştürürüm. Uyumadığım kentleri görmemişimdir, çünkü insan sadece uyurken doğru dürüst görür kentleri, o kentlerin içinde uyurken.

Bu akşam, duyduğum sesler alışıldık sesler değil: ne asansörün tiz sesi, ne koridordaki ayak sesleri, ne de kilitlerdeki anahtarlar. Pek uzakta olmayan bir odada, odayı hazırlamak için değil, onarmak için çalışma yapılıyor. Her şeyde bir huzursuzluk var adeta. Vücudumu bütünüyle saran beyaz bir bornozla, sanki içinde daha rahat uyuyacakmışım gibi, üstünde fazla düşünmeden seçtiğim aynı küçük yatağa uzanıyorum yeniden –insan ancak biriyle birlikteyken seçim yapar– ve beyaz bırakılmış tavana bakıyorum. Gözlerim bir kez daha gökyüzünü işgal etme konusundaki ustalığı sergileyen birçok camlı paralelyüzün göründüğü pencereye kayıyor. Pudong mu şu uzakta gördüğüm? Bulunduğum yere ilişkin yalan yanlış bir fikir var sadece kafamda ve kentin üstündeki bulutların turuncuya çalan dalgalar oluşturduğu şu durumda, nerede olduğumu kestirmem neredeyse olanaksız. Wu Pi-yun'u aramam gerek, yoksa bu akşam yemekte biraz zor buluşuruz. Şanghay'da tanıdığım tek kişi o. Telefona uzanmak için komodine eğildiğimde, not almak ya da yatakta yazı yazmak için bir Rhodia defterin üstüne koyduğum kurşunkalemi düşürdüm.

Sekizde Bund'da buluşacağız. Kurşunkalemimi almak için, omuzlarımı döşemelik halının üstüne doğru aşağı devirip eğildiğimde, nesneyi görmeden elimle orayı burayı yoklarken, bir yandan bir hayvana denk gelirim korkusuyla –eskiden olduğu gibi yatmadan önce yatağın altında örümcek var mı diye bakma alışkanlığımı yitirdim–, görebileyim diye daha da eğilince, kurşunkalemimin dışında, oraya bırakılmış ve boş gibi görünen üç sayfaya çarptı gözüm. Elime en yakın oldukları noktadan kaptım onları, kuşkusuz bunun nedeni sayfaları toplamaktansa eskiden bu odada başkalarının da bulunduğunu gösteren kanıtları ortadan kaldırmak istememdi. Bir yerde kaldığım birkaç saat boyunca, o yerin geçici olarak da olsa başkalarına ait olmuş olmasını istemem. Üç sayfayı banyodaki çöp kutusuna atmaya hazırlanırken –odanın çöpünde daha fazla rahatsız edeceklerdi beni–, üstlerinde bir şeyler yazılı olduğunu, üstelik metnin Fransızca yazılmış olduğunu fark ettim. Bunda şaşılacak bir şey yoktu, çünkü otel *Guide du routard*[1] tarafından tavsiye ediliyordu, ama yine de afalladım. Yolculukların, hele hele Çin'e yolculuğun izin verdiği kendini akıntıya kaptırma eğilimiyle, anında şaşkınlık verici bir rastlantı olarak gördüm bu olayı. Bilmediğim bir zamana gittim, benden öncekileri düşündüm, "O zamanlarda Çin nasıldı?" diye düşündüm ve aklıma *Dong-fan-ang hong, tai-yan-ang sheng* geldi... "Doğu kızıl, güneş doğuyor..." Kendimi dünyanın keşfedildiği yerde dünyayı değiştirebilecek çapta hissettim.

Tozla kaplı (ince bir tabaka) ama pek sararmamış ilk sayfada, okunaksız biçimde yazılmış bir ad vardı yalnızca, Li Fu-yuen ya da yuan gibi bir şeydi. Diğer iki sayfaysa, tam da mavi-siyah mürekkebinin inceliğine sahip, geniş ve zarif bir el yazısıyla kaplıydı. Donghu Otel, 70 Donghu Road antetine karşın, bu sayfalar mektup müsveddeleri gibi görünmüyorlardı. Bana kalsa unutulmuş bir elyazması ya da yatakta yeniden kopya edilmiş bir öykü derdim –üstelik bu sayfaların yatağın altına bırakılmasını her şeyden daha iyi açıklardı–, çünkü odada yazı masası yoktu, içeride bulunan küçük masanın üstünü de sanırım çalışan, Chunlan marka bir televizyon kaplıyordu bütünüyle. İlk bakışta değersiz bir Faust gibi görünen, Doktor Fix adlı birinden söz ediliyordu, başta okuduğum hiçbir şeyi anımsatmayan çılgınca bir öykü anlatılıyordu. "Kısa süre içinde alevler evi sarar. Li Fu-yuen pencereden atlar ve kolundan yaralanır, He Hala çok fazla karbon oksidi solur, kendisini hastaneye götüren cankurtaranda ölür. O arada, öldürülmek istenen adam çok rahat biçimde, (katilin dikkatini çekmemek için) parmaklarının ucunda, süet ayakkabıları elinde, ön kapıdan çıkar..." Ayrıca Şanghay'da mı, yoksa Hong Kong'da ya da başka bir Çin kentinde mi olduğu belli olmayan Chen Sokağı'ndaki bir kovalamacadan bah-

[1] Fransız gezi rehberi. (Ç.N.)

sediliyordu[1]. Bir de Nübyeli bir kadın vardı ama elimdeki parçalardan ona ilişkin hiçbir şey öğrenemedim. Müthiş gizemliydi; şimdi odaya vuran alacakaranlıkta, akşam molalarını vermiş olan işçilerin seslerini duyuyorum; bu öykü parçasına karışıyorlar, bir yenisini oluşturuyorlar. Chen Sokağı'nda bir otelde, akşam molalarını vermiş olan işçiler bir Wuhan fabrikasında günde binlercesi üretilen vidalama makinelerinden birini kapatmayı unuttular banyoda. Alet alev aldı. "Kısa süre içinde alevler evi sarar..." Şimdi odaya vuran alacakaranlıkta, buradan gelip geçen bir yazarın bir sabah bıraktığı izler benim varlığımı kaplıyor. Dışarı çıkmak için giyiniyorum.

Tiphaine SAMOYAULT

---

[1] Tayvan, Hsinchuang'da sanırım. (O.R.)

312 numaralı oda, Simón Oteli, c/ Garcia de Vinuesa 19, Sevilla

Kapı standart bir banyo boyunca uzanıp neredeyse kare (göz kararıyla 3 m x 3 m, belki 3 m x 3,5 m) bir odaya bağlanan dar bir koridora açılıyor. Dolayısıyla, tek kişilik yatak (90 cm x 190 cm, İspanya'nın –ilk kez– Avrupa ölçütlerini benimsediğini varsayalım), hesaplarım doğruysa, alanın dörtte birini kaplıyor.

Sol bölme duvarındaki tek pencere Giralda'ya değil de (aslında çok yakında), ortadaki içavlunun tepesindeki, çevresinde örtülerin kuruduğu cam çatıya bakıyor: Tanıtım yazısında gururla söylendiği üzere, *una casa típica sevillana del siglo XVIII/XIX, adaptada a las exigencias de la hosteleria moderna*[1] olan bu eski konutta üçüncü kat bir zamanlar (ne zamana kadar?) hizmetçilerin katı olarak kullanılmış olmalı; şimdiyse bekârların, yalnızların katı.

Dipteki duvarda, çift kanatlı geniş bir kapı derin (hemen hemen banyo kadar geniş) bir giysi dolabına açılıyor, dolaptaki çubukta otuz kadar giysi askısı var, bu kadarı her şekilde gereksiz kuşkusuz. Böylesi işlevsel bir mekânda beklenmeyecek bu savurganlığın nedeni hemen anlaşılıyor: 312 numaralı oda bir yarım

[1] Modern otelciliğin gerekliliklerine göre düzenlenmiş, tipik bir XVIII.-XIX. yüzyıl Sevilla evi. (Ç.N.)

oda olmalı ve giysi dolabının boyutları da gelir sağlama kaygısıyla ikiye bölünen tek odanınkilere uyuyor olsa gerek.

Sağ bölme duvarda (beni 313 numaradan ayıran duvar), aşağı yukarı pencerenin karşısında; yatağın olsa olsa bir metre kadar üstünde, buradan beklenmeyecek, betimlemekte tereddüt ettiğim bir resim var (insan öncelikle bir *feria*[1] ya da kutsal hafta fotoğrafı bekliyor): Goya'nın boğa güreşi resimleri arasından benim en çok sevdiklerimden birinin, 18 numaralı *Temeridad de Martincho Zaragoza Arenası*'nda adlı resmin bir tıpkıbasımı; ünlü matador bir sandalyeye oturmuş, ayakları bağlı halde, şapkasını *muleta*[2] gibi kullanırken resmedilmiş burada.

Yapının şimdiki sahipleri "modern otelciliğin gereklilikleri̇ne göre düzenleme" yapma konusunda, odalara o modernliğin simgesini, televizyonu koyacak kadar ileri gitmemişler. Bunu iletişim araçlarının en bayağısına karşı sergilenen aristokratik bir küçümseme (buranın eski sahiplerine bir saygı duruşu) olarak mı görmeli, yoksa tersine, odanın mütevazılığına ve fiyatın ucuzluğuna uygun biçimde, tam burjuva tarzı ekonomik bir önlem olarak mı? *El Hotel Simón le ofrece comodidad y servicio esmerado a precios muy razonables*[3] (55 avro, daha ne olsun?).

Bu sıradan otel ancak eksik biçimde betimlenebilir gibi görünüyor: rengini bile tanımlayamadığım, niteliksiz bir oda (rengin de bir sıfır derecesi var mıdır?). Sarı denebilir belki, ama Endülüs'ü akla getirebilecek altın ya da limon sarısı değil sözünü ettiğim, soluk bir sarı (fildişi rengine ya da beje çalıyor: "yumurta kabuğu rengi" denebilir mi?), belki de Dostoyevski'nin "içinde özel hiçbir şey bulunmadığını" belirtip özenle betimle-

---

[1] Festival. (Ç.N.)
[2] Boğa güreşlerinde matadorların kullandıkları kırmızı örtü. (Ç.N.)
[3] Simón Oteli çok uygun fiyatlara konfor ve özenli hizmet sağlar. (Ç.N.)

diği ve Breton'un bu nedenden ötürü aşağıladığı[1], "sarı duvar kâğıdıyla kaplı" oda tarzında diyebiliriz.

(Aslında hiç kuşkusuz yalnızca betimleme yapmaktan değil, gözlem yapmaktan da aciz olmamdan kaynaklanıyor bu: Roussel, Ponge ya da Perec görünüşte en önemsiz saptamadan, biçimlerin kılı kırk yararcasına listelenmesinden ve renklerin tam tanımlarından (renk yelpazesini içlerinde bir renk kataloğu varmışçasına sonsuza dek genişletirler) bir tür şiir çıkarmayı becerirler: düzyazının şiiri: romanın şiiri denebilir mi buna?).

En este pequeño hotel con gran solera, solera mı? (bu dili konuşa konuşa öğrendim -benim dönemimde lisede İspanyolcayı seçmek söz konusu bile değildi-, bu yüzden de eksikli ve tahmini bir bilgi bendeki, dolayısıyla bu dil düşsel, neredeyse ideal bir hal alıyor - o kadar ki o dili bozmak istemiyor insan[2]), *en este pequeño hotel con gran solera no hay habitaciones iguales*[3], 312 numaralı odayı ilk kattaki odalarla, hele hele benimkiyle arasında iki kat ve on yıl bulunan odayla karşılaştırırsak, bu ifade az bile kalır.

Buraya geri dönmek -sadece Sevilla'ya geri dönmekten bahsetmiyorum, bu otele geri dönmek de- iyi bir fikir değildi. Otel konusunda, burada olmamın hiçbir nedeni yok: Onu bir plan üstünde konumlandıramadığımdan (aynı şekilde bir kentin iç planını da çıkaramadığımdan), onu bulma ya da ondan kaçma şansım yoktu. Rastlantı eseri denk geldim buraya (aslında

---

[1] Yazar burada Breton'un ilk *Manifesto*'da her türlü betimlemenin -ve genel olarak romanın- anlamsızlığına ve önemsizliğine örnek olarak alıntıladığı, *Suç ve Ceza*'nın ünlü bölümüne gönderme yapıyor. Kaldı ki Butor Répertoire II'de bu bölümü sözcüğü sözcüğüne ele alıp onun ne kadar gerekli olduğunu gösterir. (Editörün notu)

[2] Özellikle de temel konularda: örneğin bir *jerez* [şeri, İspanyol şarabı] ısmarlamak söz konusu olduğunda; telaffuzu en zor sözcüklerden biri bu (sorun onun yerine bir *Tío Pepe* [bir şeri markası] -ti-o üstündeki ikilenmeyi iyice vurgulamak koşuluyla- ya da bir *carajillo* [içkili, romlu, konyaklı ya da viskili bir kahve] ısmarlanarak çözülebilir). (Yazarın notu)

[3] Zamana göğüs germiş bu küçük oteldeki odalar aynı değildir. (Ç.N.)

tam da öyle değil, çünkü arenaların yolu üstündeydi): Adından önce, girişteki iki parmaklığın arasından, güzelim içavlusunu ve üstünde otelin simgesi olan, yüzünde gizemli, gülümser bir ifadeyle düş kuran küçük meleğin bulunduğu çeşmesinden tanıdım onu.

Tüm bu *feria* haftası boyunca, bir otelden ötekine sürülmüştük, ama Âdem ile Havva'nın tersine, hep daha görkemli oluyordu kaldığımız yerler (başarılı bir *faena*[1] olan yolculuğumuz, söyledikleri gibi –o sıralarda bu deyişin anlamını bilmiyordum– *a más* gidiyordu[2]). Penceresiz ve kapısız odaları, birkaç saksının içavluya dönüştürmek için boşuna çabaladığı, suyeşili bir kuyuya bakan ve işletmecinin bütün gece boyunca radyo dinlediği Hostal Lis cehenneminden çıktıktan sonra, gitgide daha yüksek tavanlı odalara geçmiş, gitgide daha genişleyen yataklarda yatmış, derken Simón Otel cennetine kabul edilmiştik. Oda temizlikçilerinin "hazırladığı" odalara arada sırada göz atsam da, konumunu anımsayamadığım o ilk kattaki odada (numarasını elbette ki unuttum), o en az üç kişilik odada (asıl duvar kaplamalarıyla, eski mobilyalarıyla, cilasıyla, silmeleriyle vb. betimleme için bolca malzeme sunan oda oydu), yolculuk etmek için yataktan yatağa geçmemiz yetiyordu: Her yatak, yerine, biçimine, boyutuna göre farklı bir haz veriyordu bize (elbette en küçük olanı yeğliyorduk: Tek kişilik bir yatak ancak iki kişiye çekici gelir); portakal ağacı çiçeklerinin sokaktan gelen kokusu da arzumuzu kamçılıyordu durmadan: Soluduğumuz şey yalnızca bir koku (bir "esans") değildi, bizi sarhoş eden alkollü bir içki, Tristan'ın "otlu şarabından" daha büyülü bir iksirdi – her şekilde bunun bir aşk şerbeti olmasa da, en azından afrodizyakların en güçlüsü olduğuna inanmıştık.

---

[1] Matadorun boğayı öldürmeden önce pelerin ya da kılıçla yaptığı bir dizi hareket. (Ç.N.)

[2] Daha iyiye gidiyordu. (Ç.N.)

Dolayısıyla, bu turistik kentte hiçbir yeri gezmedik. Anıtlara, kiliselere (katedrale bile girmemiştik) ve müzelere yeğledik Simón Otel'in üç yatağını; odadan sadece Guadalquivir'den geçip Triana'daki balık lokantalarında akşam yemeği yemek için çıktık (bu lokantalarda, bir ay önce Aigues-Mortes'ta keşfettiğimiz ve dünyada tek olduğunu düşündüğümüz o kum şirlanlarından bulmuştuk *coquinas* adıyla - bunlardan Lion Körfezi'nin ötesinde avlamak ve o kentin dışında yemek olanaksızdı - kuşkusuz orada tanışmış olduğumuz için); bir de tabii arenalara gitmek için.

Ben nasıl ona opera sevdirmeye başladıysam, Mélanie de bana boğa güreşini öğretiyordu. Bu iki sanatın tutkunları, daha doğrusu hastaları arasındaki psikolojik benzerlikler dikkatimi çekmişti hemen: Sözün gelişi, bir kadın şarkıcıya hayran olan ve onun gösterilerinden birini bile kaçırmamak için tüm Avrupa'yı dolaşan müzikseverler (hatta kimi zaman, Salzbourg'da, Bayreuth'ta, Viyana'da ya da Milano'da sanatçıları çıkış kapısında bekleyerek idolleriyle tanışmayı başarıyorlardı) nisan ayından beri, "kendi" boğa güreşçisini en mütevazı meydanlarda bile olsa izlemek için (bazen bir köy meydanına dikilmiş basit bir kazık duvarından ibaret olabiliyordu bu meydanlar) İspanya'yla Güney Fransa arasında mekik dokuyan *aficionada*'mdan[1] çok da farklı değillerdi. Bu boğa güreşçisi bir *figura* olmadan, saygıdeğer bir meslek yaşamı sürmüştü, ama sınırlı ünü, yıldız matadorların özellikle kaçındıkları riskleri almaya itiyordu kendisini -bu tehlikelere atılmasının asıl nedeni, her şeye karşın büyük Martincho'nunki kadar büyük olmayan, ama yine de aşırı olan cesaretiydi belki-, bu güreşlerin yaralarıyla doluydu bedeni.

Şimdiyse Mélanie güreşten sonra onunla tanışma

---

[1] Taraftar. (Ç.N.)

ayrıcalığına sahip olmuştu, yakınlar arasında düzenlenecek bir *tertulia*'ya[1] katılacaktı; onunla birlikte boğa güreşinin ayrıntıları, güreşçilerin gündelik yaşamı ve *cuadrilla*'ları[2] üstüne bir söyleşi kitabı yazmayı tasarlıyordu (özellikle *peones*'le[3], insanın içine dokunan, kimi zaman gülünç duruma düşen şu figüranlarla; *callejón*'a[4] kaçtıklarında izleyicilerin alaycı bağırışları altında şişleri boğaya sokmaya mahkûm edilmiş ve yaşamlarını matadorunkini korumak pahasına tehlikeye atan şu göbekli, ellilik adamlarla ilgileniyordu): On yıldır bu kitabın çıkmasını bekliyorum, belki de İspanyolca yayımladı onu, belki de bir takma adla, ne önadı ne de soyadı (Melbourne!!!) böylesi bir işe uygun değil çünkü - tabii iş ki Mélanie Melbourne zaten bir takma ad olmasın, bugün artık öyle olduğunu düşünüyorum ve uzaktan baktığımda, akla en yatkın varsayım şu gibi geliyor: Konuşmasında Avustralyalı şivesini anımsatan hiçbir şey yoktu (gerçi ben de bu şiveyi az buçuk tanıyorum ya), ama bazı tonlamaları eski Bask müziğini aklıma getiriyor, daha önce düşünmeliydim bunu, baştaki hecenin yinelenmesinin de gösterdiği üzere uydurma bir ad, şifreli bir ad, bir savaş adı, bir ETA militanı olsa gerekti, hatta belki de söylendiğine göre erkeklerden bile daha sert olan o az sayıdaki kadın yöneticilerden biriydi.

Matadoruna az ya da çok âşık olması varsayımını düşünmeyecek kadar da saf değildim öte yandan: Ne var ki bunun Teresa Berganza ya da Gwyneth Jones'un çoğunluğu eşcinsel hayranlarınınki gibi, platonik tarzda olduğunu düşünerek ya da boğa güreşi ritüelinde güreşçiye kazandırılan rolün kadınsılığını aklıma getirerek içimi rahatlatmaya çalışıyordum... Ama aslın-

---

[1] Gece eğlencesi. (Ç.N.)
[2] Ekip, takım. (Ç.N.)
[3] Matadorun yaya yardımcıları. (Ç.N.)
[4] Koridor. (Ç.N.)

da ikisinin de karşı cinse ilgi duyduklarını kendimden gizleyemiyordum: En sonunda onunla yatmış olmalı, üstelik portakal ağacı çiçeklerine de ihtiyaç duymamıştır, savaşın erotizmi (bu konuda bilgi sahibi olmayan biri bile bu savaşın cinsellik eylemine öykündüğünü sezebiliyordu) ve savaşçının bedenini kaplayan yaralar fazlasıyla yeterli, kışkırtıcı bir unsur oluşturmuştur kuşkusuz. Hatta belki ben gittikten sonra olmuştu bu (onun boğa güreşi bir sonraki haftaydı ve ben açıkça davet edilmemiştim), sadece bu işin Simón Oteli'nde, ilk kattaki odalardan birinde gerçekleşmediğini umuyorum, hayır hayır, ikinci sınıf boğa güreşçileri bile XIII. Alfonso Oteli'nde kalmak zorundadırlar.

Dolayısıyla, onun anısına, boğa güreşini operaya yeğledim ve ben de bir arenadan ötekine koşturmaya başladım, ama yanımda o olmadan: Onunla hiç karşılaşmadım, gelgelelim beni operadan vazgeçip güreşleri izlemeye iten o büyüleyici ânın ("gerçeklik ânı" diyorlardı buna) yoğunluğunu da yaşayamadım bir daha (boğa güreşi acemisinin göz alıcılık karşısında işin özünden uzaklaşan eğlencesi bir yana): Adını unuttuğum bir *novillero*[1] *toro*'sunu boğaların güreşten önce kapalı tutulduğu kapının önünde (*a porta gaiola*, diye öğretmişti bana Mélanie, kendisine operayı "açıklamak" için kullandığım İtalyanca teknik terimlere İspanyolca karşılıklar vermekten muzip bir haz alıyordu) diz çökerek karşıladığında, onun *faena*'sının ilk hareketlerinden başlayarak orkestra çalmaya başladığında, bunu da bir trompet solosu izlediğinde -sanki yaşlı müzisyenin genç boğa güreşçisine sunduğu neredeyse gerçekdışı saflıkta birkaç nota- ve izleyiciler de yeniyetmeyi dedesi yaşındaki müzisyeni alkışladıkları gibi coşkuyla alkışladıklarında yaşamıştım o duyguyu.

---

[1] Henüz unvan belgesi almamış, çırak boğa güreşçisi; "novillada"da genç (dört yaşından küçük) bir boğayla karşılaşır bu güreşçi. (Editörün notu)

Sonuç olarak, 312 numaralı odada olmam gereken yerdeyim. Tek başıma, "tek kişilik bir odada"; turistik bir kentte bir turist olarak. Katedrali, Casa de Pilatos'u ve müzeyi gezdim; hatta bir *rejón*[1] güreşine bile gittim (kaderin son cilvesi: başka da olmadı). O, *novillada*'yı[2] sevmesinin nedenlerinden ötürü *rejón*'dan nefret ederdi: Bu göz boyayan gösterinin yapmacık zarafetini alaya alışı hâlâ kulağımda, ona göre güçsüz kılınmış bir boğayı görkemden yoksun biçimde yenen bir atlının yaptığı çekici ve temelsiz çalımlara basit bir bahaneydi bu yalnızca; ve o akşam, bir zamanlar virtüoz bir kemancının ya da koloratürün şeytansı ses titretmeleri ya da akrobatik vokalizleri karşısında olduğu gibi, bu biçimsel oyunlara karşı hiçbir şey hissetmedim.

Sevilla'ya yağmur yağıyor, Nantes'a ya da Bouville'e yağdığı gibi. Bouville'deki Sevilla: Sıradan bir taşra kenti, oradan gelip geçenler şemsiyelerinin altında koşturuyorlar. Eskiden güneş, portakal ağaçlarının dallarından meyvelerin şekerli aromalarını yağdırırdı; bugünse, eğretilemeyle ilgili hiçbir yanı bulunmayan bu yağmur başka bir koku yaratıyor: Bir su birikintisinin içinde çürüyen portakalların bulamacının acı kokusunu.

(Otelin antetini taşıyan bir zarf içinde, sırılsıklam olmuş ve kokusu oraya vardığında kesinkes uçup gitmiş olacak bu çiçeklerden birini, artık büyük olasılıkla onun oturmadığı bir adrese göndermek gibi gülünç bir duruma düşürmeyebilirdim kendimi.)

Alain SATGÉ

---

[1] Atlı boğa güreşi. (Editörün notu)

[2] Genç boğalarla yapılan güreş. (Ç.N.)

312 numaralı oda, Hostal Don Diego, 43, Velázquez Sokağı, Madrid

Bana bu odayı, daha önce gördüğüm odaların en küçüğünü, en soğuğunu kim ayırtmıştı anımsamıyorum. Belki de bunu ben yapmışımdır, züğürt olduğum ya da imgelemden yoksun olduğum ya da terk edilmişlik duygusuna kapıldığım bir günümde: Oluyor böyle şeyler. Öyle ya da böyle, kapıyı açar açmaz -ahşap, birkaç silmeyle süslü bir tür meşe, kolu yaldızlı, doğrudan odaya açılıyor-, S.'nin davetini kabul etmiş olmama şaşırdım. (O dönemde, bu S. dediğim adam kendine meşru bir konum edinmişti ama onun gerçek adını vermemeyi yeğliyorum, değil mi ki geçmiş kimi zaman bir bumerang gibi dönüp gelir üstünüze!), beni biriyle tanıştıracağı (yeri gelirse, hatta belki bugün, canım isterse, bu konuyu daha açarım, bakalım) Madrid'de kendisiyle buluşmayı kabul ettiğime pişman olmuştum neredeyse.

Her şekilde, daha gelir gelmez kapıldığım izlenim bir felaketti. Öncelikle, otel bir apartmanın beşinci, altıncı ve yedinci katlarında bulunuyordu, hiç de hoşuma gitmeyen, şaşırtıcı bir şeydi bu. Dahası, numarasının akla getirebileceği gibi üçüncü katta değil, yedinci katta olan oda da, 312 numara da, yalnızca küçük olmakla kalmıyordu, tavanı da çok yüksekti -yaklaşık dört metre–, bu da ona çok pürtüklü, daha çok pıhtılı, beyaz boyayla kaplı bir kuyu havası veriyordu. Mekânın tuhaflığının son halkası da, geçişli tonlarla koca koca dalgalı, koyu yeşil, pamuktaşından zemindi, domuz kellesi ezmesini aklıma getiriyordu!

Ama bu odaya varmadan önce, resepsiyon görevlisinin, hani neredeyse bir polisi andırırcasına ısrarlı merakına maruz kaldım. Pasaportumu elinde çeviriyor, sanki sahte olduğuna ilişkin bir ipucu arar gibi her tarafını, her dikişi inceliyordu. Kuşkusuz, General Franco o dönemde hâlâ iktidardaydı, yaklaşık iki yıl daha başta kalacaktı –tabii eğer hesaplarım doğruysa, bunu kontrol edebilecek zamanım yok, Şubat 1973'teydik–, ama İspanya'ya daha önce yaptığım kısa yolculuklarda böylesi bir kuşkuyla karşılaşmamıştım hiç. En sonunda, insanı canından bezdiren bu sorgulama üstünde fazla durmadan, şu son haftalarda S.'yle yaptığım telefon konuşmaları dinleniyor muydu acaba diye düşündüm. Belki de S.'yi dinlerken beni de dinlemeye başlamışlardı: Eğer öyleyse, çabuk davranmak gerekiyordu.

Neyse ki, buluşmamız önceden ayarlanmıştı: Bir daha telefonla görüşmemize gerek yoktu.

Birden, öteberimi giysi dolabına (kapının karşısındaki duvara dik açıyla duruyordu, aynı duvarda üstünde dörder yapraklı, mavi motifler olan, beyaz, seramik bir lambanın durduğu kestane rengine çalan, ahşap, çekmecesiz bir tür sıra vardı) koymak üzere incecik bavulumu boşaltırken, bu giysi dolabının, kestane rengi ahşaptan, basit kapağını açınca, birden, Sırça Otel'in bir odasında bulunduğum gibi yersiz bir duyguya kapıldım, Nancy'deki Sırça Otel'in, birçok kez anlatılan, 211 numaralı odasında değil de başka bir odadaymışım gibi hissetmiştim, benim için bir o kadar önemli olan, başka bir yerdeki, Paris'teki, Saint-Benoît Sokağı'ndaki –bu kimilerinin akıllarına bir şeyler getirecektir!- bir başka Sırça Otel'in bir odasındaydım sanki, Francesca P.'nin ardından koştuğum -ya da o benim: nasıl bilinebilir ki?- bir dönemde, Saint-Germain-des-Près'nin şirin küçük otellerinin benim için artık bir sırrının kalmadığı, bu Avustralyalı kadınla yaşadığım gizli ve fırtınalı ilişkiye ev sahipliği yaptıkları bir dönemde - ama o aslında Venedikli bir İtalyan değil miydi? Neyse ne, sarışın bir Venedikliydi; ama Francesca'dan başka zaman söz edeceğim, bunun için mutlaka fırsat çıkacaktır, çünkü yolculuklarımda kaldığım herhangi bir oda, herhangi bir yatak, herhangi bir banyo, herhangi bir yumuşak döşemelik halı, ansızın, son derece açık, neredeyse soluk kesici biçimde, onun anısını canlandırabiliyordu, hatta yalnız olmadığımda bile, Mélanie Melbourne koynuma girdiğinde bile, belki de sırf bu yüzden: Arzu, bunu öğrenmeye başladık artık, düşünsel yapılarının içinde çocuksu, sapkın ve çokbiçimli bir öz taşır.

Ama ben Madrid'de, şu kaygı verici oteldeydim ve yolculuğumun gerçekten gerekli olup olmadığından kuşkulanmaya başlamıştım: S.'nin benimle tanıştıracağı ve bana söyleyecek çok şeyi olan adam -serüven dolu yaşamı büyük oranda Sovyet servisleri ve onların mafya mirasçılarıyla oynanmış ölümcül oyunlarla geçen, eski komünist militan bir İspanyol-, bir türlü ortaya çıkma lütfunda bulunmuyordu.

Yine gerçekleşeceği şüpheli, son bir buluşmayı bekliyor, girişin sağındaki duvarın neredeyse hepsini kaplayan pencerenin, üç parçalı pencerenin karşısında ayakta duruyordum: Daha dar olan iki parçanın ortasındaki cam açılıyordu. Pencereyi açıyordum, ama fazla uzun süreliğine değil, çünkü hava soğuktu (3 °C) ve eski model radyatör çok ısıtmıyordu. Hemen yakındaki bir apartmanın yangın merdivenini, dağınık duran başka yapıları, kara cepheleri, kara gökyüzünden büyük bir hızla geçen ak-pembe bulutları görüyordum.

Kiremit çatılar. Antenler. Çanak antenler. Kentin uğultuları.

En sonunda beklemekten sıkıldım, hemen Madrid'den ayrıldım, resepsiyon görevlisi bu işe çok şaşmış, büyük olasılıkla düş kırıklığına uğramıştı. Paris'e doğrudan uçuş yoktu, Milano uçağına bindim, önüme ilk çıkan oydu, ama asıl beni Francesca Pietrocchi'ye yaklaştıracaktı! Uçak havalanır havalanmaz bunun farkına vardım.

Sonuç olarak, KGB'nin (o dönemde bilindiği üzere başka bir adı vardı) uluslararası -hatta belki, gülünç bir şey ama uluslararasıcı- servislerinde çalışan İspanyol adamla ondan on yıl sonra buluşabildim ve bana gerçekten de çok ilginç bir öykü anlattı. Ama bu buluşma Madrid'de gerçekleşmedi -öte yandan, tüm konuşmamız boyunca, geçmişe yönelik bir iç sıkıntısıyla Velázquez Sokağı'ndaki odayı anımsamıştım-; Biarritz'de, Hôtel de Palais'nin bir odasında buluştuk, ama bu odayı inceden inceye betimlemek sayfalar alır, çünkü lüksü betimlemek yoksulluğu betimlemekten daha güçtür kuşkusuz.

S.'nin -bu büyük harfin onun takma adlarından birinin başharfi olduğunu söyleme tehlikesini göze alıyorum, sıradanlığıyla saydamsız bir ad bu: Sánchez- benimle tanıştırdığı İspanyol'un öyküsü aslında, yeri geldiğinde, anlatılmayı hak ediyordu, ama burası yeri değil, bunun nedeni öncelikle rastlantı eseri, kırk yaşına yaklaşmış ve hâlâ insanda arzu uyandırabilen, anında içimde arzu uyandıran Francesca Pietrocchi'nin de, on yıl sonra, Biarritz'de bulunmasıydı, belki de anlaşılmaz bir önsezi ya da gizli bilgiyle koşup gelmişti oraya.

Okyanusun dalga sesleriyle, uykusuz geçen iki gece boyunca, verdiğimiz ender molalarda, Sırça Otel' deki odayı anımsıyorduk bulanık biçimde, ama aynı değildi: Birbirimizi sevdiğimiz aynı yer değil orası, ne zaman, ne de aşk aynı.

Jorge SEMPRUN

Metin György Lukács'ın, Berlin'de, 1923'te, yani S.'nin doğum yılında yayımlanan Geschichte und Klassenbewusstsein *adlı kitabının iç kapağından koparılmış sayfalar üstüne elle yazılmış.*

622 numaralı oda, Central Oteli, Shinjuku, Tokyo

Zaten karmaşık olan olayları daha da karıştıracağım kuşkusuz. İşte bildiklerim şunlar. Geçen ay AF 184 uçuş numaralı uçakla 07:50 + 1 DAY'de Tokyo Narita Havaalanı'na vardım. Bavulumu aldım ve bana bir odanın ayrıldığı Shinjuku Oteli'ne gitmek üzere *airport limousine*'e bindim. Odama yerleşip bekledim. Her zamanki şeyler. Gün içinde hiçbir şey olmadı. Hiçbir şey. Odadan çıkmadım ve özel hiçbir şey yapmadım, öğleden sonranın bir bölümünü yatakta uyuklayarak geçirdim, PAY TV'deki epey soyut bir pornoyla azıcık azdım (ekranda, sanırım yakın plan çekilmiş kukular son derece düşük çözünürlüklü, yeşile çalan dikdörtgenler şeklinde görünüyorlardı birbiri ardına, iyi tamam da bunda tahrik edici bir şey yoktu ki). *Room service*'e sıcak bir yemek söyledim, oda biraz soğuk somon koktu; camlı açıtın karşısında balık derisi artıklarıyla, yarısı boşalmış eski bir pilav kâsesi duruyordu. Gece olmuştu, başucu lambasının ışığını en kısığa getirdim; çevremi saran tatlı alacakaranlıkta, zayıf ve altın sarısı bir ışık egemendi; dışarıda, gecenin içinde, çatıların köşelerinde yanıp sönen pek çok kırmızı ışıklı noktanın görülmesini sağlıyordu bu loşluk. En sonunda, yatağın üstünde, ayakkabılarım ayağımda, yaka bağır açık, televizyon hâlâ açık halde uykuya daldım; PAY TV'deki Mondrian tarzı pornonun oral sekslerinin sonuca bağlandığı sırada, doğrudan odama gelen bir faks uyandırdı beni, kangren gibi ilerleyen bir karınca sürüsünün yavaşlığıyla aletten çıkıyordu belge.

Ayakkabılarım ayağımda yataktan kalktım, faksı almak için döşemelik halının üstünde ilerledim ve Tokyo'ya egemen büyük camlı açıtın önünde, odanın içinde okudum onu.

"622 numaralı oda, Central Oteli, Shinjuku, Tokyo. Meslek yaşamımda tanık olduğum en küçük odalardan biri, belki 9 metrekare. Duvarlar biraz pütürlü sıvayla kaplı, bej üstüne bej çizgili. Zemin iri, bej-siyah ilmikli bir döşemelik halıyla kaplı. Tavanda iki spot ve bir iklimlendirici. Kapının karşısındaki duvarda alüminyum çerçeveli bir pencere var, daracık bir içavlunun öte tarafında, birbirlerinden yaklaşık dört, beş metre uzaklıktaki öteki odalara bakıyor. Duvarda, aynanın karşısında, ikisinin üstünde binalar, küçücük bir başkasında da eski bir yolcu gemisi bulunan resimlerin sıkıştırıldığı bir çerçeve var: Ama işin tuhaf yanı, gemili resimde, yalan yanlış bir Fransızcayla, 'boyutları hiç küçük olmayan taşıt ya da konfor için hiçbir şey ihmal etmediler.'"

Faksın geri kalanı okunmuyor, sonraki iki satır birbirine girmiş ve metin birden kesiliveriyor. Yeniden okudum, pek bir şey anlamadım. Açık olan tek şey şuydu ki, benim orada, Tokyo, Shinjuku'da, Central Oteli'nin 622 numaralı odasında bulunduğumu varsaydıklarını üstü kapalı biçimde gösteriyorlardı. Neden olmasın ki? Bu öykü içinde öykü tarzı kabul edilebilir, değil mi ki, Tokyo'da, hatta Shinjuku'daydım, ama o kapsülde kalmıyordum (9 metrekarelik bir odayı bütünüyle doldururdum ben). Bunun dışında, benden ne beklendiğini bilmiyordum. Mesaj imzalanmamıştı doğal olarak, ama satır aralarını okuma alışkanlığım vardır. Elle birkaç sözcük eklenmişti. Özellikle bir ayraç dikkatimi çekti (her zaman işin özünün ayraçlarda olduğunu düşünmüşümdür). Faksın üstüne, anlaşılmaz başka yazıların arasına, elle, samimi, sevimli bir ileti yazılmıştı: Hatta, eğer istersen, bizim adımıza AVIS'ten bir kiralık araba alabilirsin (kaldı ki, takma adla imzalayacaksın). Şu "kaldı ki, imzalayacaksın" dilbilgisi açısından acayip, ama anlama bakıldığında, açıktı... takma ad... imzalayacaksın... O.R. Mesajın -"bağlantının" diyelim isterseniz- yazarının adının başharfleri O.R.'ydi. Az çok tanıdığım bir herifti bu, Asya'da birlikte çalışmıştık, hatta on yıl kadar önce ortak bir görevde yer almıştık (ama Japonya'da değil, Tayland'da ya da Vietnam'da, anımsayamıyorum, kontrol etmek gerek). Beklerken, bu satırların yazarı üstüne daha fazla şey öğrenmek için, kılavuz kitabı çıkardım ve aradığımı hemen buldum, s. 247, yazarın betimlemesi:

O.R., 1947 doğumlu.

<< @%%/fg+= = $cf(é&1*μ<<<?ccc4+m
>>$@^]}#
\ rt-((-ernhç9w&2 ~ >> #!df(5nf \ ^çç1% ùxxxxxxxx
xxx! ! ! ! ! ! ! >>"'***&&876°°°μμμμ?007@&!+=
=$cf(é&1
*μ<<<?@%%§?fg+= =$df(5nf\çç%ùxxxxxxbtr5-
)à+=

Tamam. Olaylar aydınlanmaya başlıyordu. Evet, şifreliydi yazılanlar (sizden de hiçbir şey kaçmıyor). Düşünceli bir halde, bu im dizisini bir kez daha okudum, bu örtük göndermeler ve çift değişkenler üstüne düşündüm (bu satırların arkasındaki kişinin O.R. olduğu su götürmezdi, bunlar uydurulan ayrıntılar değil). Ama şimdi daha açık görüyordum. O.R.'yle, geçen yüzyılın sonunda, Hanoi'de karşılaşmıştık, birlikte aynı görevdeydik, çok açık olmayan bir programımız vardı, Fransız Büyükelçiliği'ne kadar uzanan, yerel bağlantılar ve karanlık ağlar; hatta etkinlik raporuma belli belirsiz ve çok dolaylı biçimde büyükelçinin adını da karıştırmıştım, az çok şüphe çeken yerel bir dernek tarafından çağrılmıştık, kısacası orada, nemli bir sisin içinde, bizden ne istendiğini anlamaya çalışarak dört, beş gün zaman geçirmiştik -birazcık olsun organize edilmiş buluşmaları saymazsak, bu davetler hep böyle olur, lüks odalarda bekleyerek ve mesleğin sıkıntılarından, ölüm korkusundan kurtulmak için bol bol içerek zaman öldürülür, o sefer absent içmiştik, Hanoi'ye epey absent götürmüştük, hatta bir gece birlikte dilin üstünden Contrex su gibi akıp giden, ama aslında 60 derece olan, şu renksiz, pirinç rakılarından da bir şişe içmiştik.

O dönemde, her yolculuğumda görev raporları hazırlıyordum, o zamanki dizüstü bilgisayarımda bunların hepsi yazılı, kayıtlı. Rapor -ve doğal olarak, O.R. harflerinin ortaya çıkması gereken öğeler- bir gün Mélanie'nin (isterseniz ona böyle diyelim) evine bıraktığım eski Powerbook 1400cs/166'da duruyor olsa gerekti. Şimdi Tokyo'da gece yarısıydı, Paris'i aramak için uygun bir saat, içim rahat etsin diye Mélanie'yi arayıp Ocak 1994 ile Aralık 1997 arasındaki etkinlik raporlarımı içeren o Powerbook 1400cs/166'yı bulmasını (hatta ben taşındıktan sonra bir bavulun diplerine koyduysa, mahzene de bakmasını) istedim. Bu Powerbook 1400cs/166 çok kısa bir süre içinde kendi içine kapanmıştı (onu bir yazıcıya bağlamak olanaksızdı, disket okuyucusu hemen bozulmuştu ve USB girişi de yoktu). Aslında, onunla ilişki kurmanın tek yolu aranılan belgeyi açmak, onu ekrandan okumak ve XX. yüzyıldaki gibi elyazısıyla, tükenmezkalemle onu kâğıda geçirmekle kısıtlıydı. Ama Mélanie öyle yapmadı.

Birkaç saat sonra, Mélanie'nin faksını aldım - bir şekilde, akşamın başında O.R.'den aldığımla tamı tamına bakışımlıydı. Raporumda O.R.'den söz ettiğim bölümü bulmuştu. Ama onu kâğıda geçirme zahmetine katlanmamış, dijital kamerayla fotoğrafını çekip onu bana yollamak üzere taramakla yetinmişti. Bu bölüm son baskıdan çıkarılmıştı (ondan beri de bir daha yayımlanmadı). Öte yandan, bütünün anlaşılmasına hiç de yardımcı olmuyor. İşte buyurun.

Birkaç gün sonra, Hanoi Hayvanat Bahçesi'nde, O.R.'yle birlikte (Hanoi Hayvanat Bahçesi'nde O.R.'yle beraber ne yaptığımızı soracaksınız kuşkusuz – hiçbir şey, dolaşıyorduk sadece), ceketsiz, ellerimizi arkada kavuşturmuş, hızlı adımlarla ağaçlı yollarda yürüyorduk, Hayvanat Bahçesi'nin hoparlörlerinde Çaykovski'nin piyano ve orkestra için bestelediği si bemol minör n° 1 konçertosu çalıyordu. Kimi zaman, yaşlı bir maymunun üzgün üzgün bir hoparlörün karşısında oturduğu (Çaykovski çalmadığında, hoparlörden, maymunu eğitmek üzere, bitip tükenmek bilmeyen sosyalist söylevler duyuluyordu), kirli ve hüzün verici bir kafesin önünde bir anlığına duruyorduk. Bize bu Hayvanat Bahçesi'nde palavradan bir randevu vermiş olan bir bağlantıyı ararmış gibi, kafesin önünde, parmaklıkların yapısını dikkatle incelerken, İstihbarat Örgütü ajanlarını andırıyorduk O.R.'yle birlikte. Aslında, yanlış bilgi almıştık: Aradığımız şey, ahşap ya da mekanik küçük hayvanlardı, adını bilmediğimiz biri bunlardan Hanoi Hayvanat Bahçesi'nde bulunabileceğini söylemişti. Hayvanat Bahçesi'nde, ağaçlıklı yollarda yan yana dizilmiş, kartpostal, bira ya soda satan izinsiz satıcılar; boyunlarında Doğu Alman markası koca koca makineler olan, en yeni, aşırı ışıklı fotoğraflarından örnekler sergiledikleri tezgâhlarının önünde bir ileri bir geri gidip gelen birkaç seyyar fotoğrafçı vardı ama küçük hayvan satıcısına rastlanmıyordu (ahşap ya da mekanik, aslında O.R.'nin tam olarak ne aradığını pek anlamamıştım). Elimiz boş, çıkışa vardığımızda [illegible] çekçek sürücülerimiz bizi Hayvanat Bahçesi' nin girişinde bekliyorlar, araçların yanında cigara tüttürüyorlardı), küçük bir grup Vietnamlı çocuk bize neşeyle selam verdi, biz geçerken asker gibi durup [illegible] İngilizcesiyle "Good morning, Sir!" diye bağırdılar.

Jean-Philippe TOUSSAINT

Numarası belli olmayan oda, Centre Oteli – Sanatçılar Pansiyonu: (Yüz çevrilmiş odalar)

Paris'te, her şeyden uzakta, bir hayli berbat bir çatı katında oturdum hep. Yanılsama yaşamadığım düşüncesi bana dayanma gücü veriyordu. Ama okşamalara susamış tenime güvenmiyordum. Yüreğimi besleyebilecek, beni bir öykünün başlangıcına sürükleyebilecek hiçbir şeye güvenmiyordum, her seferinde boşluğa atılmak zorunda kalmaktan korkuyordum. Posta kutuma gitmek üzere merdivenlerden inerken bunları düşünüyordum işte. Aslında sırf formalite icabı bakıyordum mektuplara, çünkü bir şey beklediğim yoktu. Kim bana yazabilirdi ki? Annemin ölümünden beri kimseyle görüşmüyordum. Sessizlik elementim, nefesimin tıkanması umudunu biraz daha boşa çıkarmak için soluduğum hava olmuştu. Ama anlamsız alışkanlıklar edinmiştim, aşağılara inip posta kutumu açmak da bunlardan biriydi ve bu gündelik hedefler, ne kadar minnacık olurlarsa olsunlar, bütün halinde bir amacım olduğunu düşündürüyorlardı bana.

Sonrasında gelişen olaylar inadımı ödüllendirecekti. Hayret, o ünlü sabah, posta kutusunda bir yayıncının antetini taşıyan kraft kâğıdından bir zarf bulunuyordu. Hemen zarfın gönderildiği kişinin adını ve adresini kontrol ettim, çünkü bir hata yapılmış olması bana daha akla yatkın geliyordu. Ama şunu kabullenmem gerekiyordu: Bu posta bana gelmişti pekâlâ. Hiç tanımadığım bir yayıncı açıklama yapmadan dünyanın farklı farklı yerlerinden otel odalarının betimlemeleriyle dolu bir yığın göndermişti bana. Sadece, kimsenin istemeyeceği odaların söz konusu olduğu belirtilmişti. Yüz çevrilmiş odaların. Bu deyişin meydan verdiği sözcük oyununu vurgulamaya gerek yok.[1]

Bu belgeyi hemen okumaya başladım. İlk bakışta, edebiyat namına bir şey yoktu. Sıralanan bu karmaşık bilgiler, biçem kaygısı taşımadan, yer yer metni okunmaz kılan çok sayıda kısaltmayla dolu, aceleyle yazılmış bir mal dökümü oluşturuyordu. Bu malzeme Yeni Roman akımının bir temsilcisi olması koşuluyla, belki de üstünde çalıştığı konuyla ilgili ihtiyaçlarını karşılamak üzere bir yazara yönelik olarak kaleme alınmıştı, benimse o akımla bir ilgim yoktu. Öyle ki böylesi betimlemeler hiçbir şekilde imgelemime seslenmiyordu. Dünya otelciliği kılavuzu yazmak gibi bir tasarım da yoktu ve anlatılan odalar bundan başka bir işe yaramazdı; olası yolculuk meraklılarına düşler kurdurmak bir yana, onların kâbuslarına girecek türde odalardı bunlar.

312 numaralı oda, Madrid'de Hostel Don Diego ve onun mat camlı penceresi, minimalist, tek kişilik yatağı, metal kafesli somyası... 912 numaralı yatak, Beyrut'ta Monroe Oteli, kapıları savaş gemisi grisi melamin kaplı giysi dolabı... 112 numaralı oda, Metropol Otel, Calais, sarı ahşap yatak başlığı, üstünde Gideons İncili bulunan küçük raf... Dikdörtgen oda (numarası unutulmuş), Crotoy'da Les Sarcelles Villası, beyaz pütürlü duvarlarda kabartma beyaz çizgili, üstünde beyaz ya da pembemsi balıkçıllar bulunan, kirli bej,

---

[1] "Yüz çevrilmişler" olarak çevrilen "*des laissées pour compte*" deyişi, okunuşunda "*délaissé*"yi (terk edilmiş, yüzüstü bırakılmış) akla getiriyor. Bu sözcük oyununa gönderme yapılıyor. (Ç.N.)

plastik-kauçuk görünümlü kaplama... 29 numaralı oda, Bordeaux'da Royal Médoc Oteli, lekeli gibi duran bir duvar kâğıdıyla kaplı duvarlar... 427 numaralı oda, Kahire'de Başkan Oteli, ve onun rokfor peynirini anımsatan gri-yeşil, mermer görünümlü döşemesi...

Tam buraya gelmiştim ki otellerin bulunduğu kentlerin listesini yüksek sesle okuyarak bilmecenin anahtarını kavradım. Kentlerin ve otellerin her biri, hatta adı geçen, özellikleri bana kabaca anımsatılan odaların her biri (meskût geçilmiş odalar söz konusuydu), tüm yaşamım boyunca, sevgililerimden ayrılmama sahne olmuştu. Demek ki sadece yalnızlığımı yeniden keşfetmek için geriye doğru gitmem isteniyordu. Ama nasıl olmuştu da, olaylara nobranca bakıldığında, beni yıkıma sürükleyen, ister istemez birbirlerinden haberleri olmadığına inandığım tüm evreleri tek bir kişi bir araya getirip bana bir postayla yollayabilmişti? Ansızın, bir kez daha aşırı iyimserlikten yanılgıya düşüp, bu gizemli postayı bana uzatılan bir el gibi görme fikri geldi aklıma. Acımın kaynağını oluşturan tüm bu odalardan, kendi odamı, ömrümün sonuna kadar koruyacağım, var gücümle üstüne titreyeceğim odayı çıkaracaktım. Üstelik, tüm bu odalar artık bana aitti. Gönderdiği postanın kendisi için taşıdığı riskleri kuşkusuz yeterince göz önünde bulundurmayan, tanımadığım bir yayıncı tarafından bana sunulmuşlardı, canım nasıl isterse kullanabilirdim onları. İlk kez olarak ipler benim elimdeydi. Arkası gelmeyen öykü parçalarını kendi öykümün arkasını getirmek için yeniden kullanacak, en apaçık başarısızlıklarımdan bir hayatta kalma yolu olarak yararlanacaktım. Mutsuzluklarımın dekorunu paramparça etmek ve bundan zevk almaya çalışmak, en sonunda mutlu olmak elimdeydi.

Olmayacak şey değildi. İşe belleğimdeki bu uğursuz mekânları her türlü anıdan ve en ufak duygu kırıntısından temizleyerek başlayıp onları bilinmez kılmam yeterli olacaktı. Bunlar metin parçalarıydı, hepsi bu. Malzeme. Herkesten kopup uzaklaştığım kötü bir zamanda beni yakalayabilecek bir dram değildi kesinlikle. Hayır, en ufak tehlike yoktu. Uzun zamandır herhangi biriyle konuşmaya çalışmamıştım: Kendimle de çok az konuşuyordum artık. Sonuç olarak, duvarları yıkmakta ve beni didik didik inceleyecek kişileri engellemekte hiç güçlük çekmeyecektim. İnsanlara sırt çevirme sanatında gitgide daha ustalaşmaya çalışacak, bu şekilde insandan kaçan dilimin çözülmesini engelleyecektim.

Daha fazla zaman yitirmeden bilinmezliğe doğru ilerlemeye başladım. Cenaze odası mı? Yoksa yaşamın evi mi? Yayıncı bana geniş bir alan bırakmıştı. İsteseydim eğer, seçimimi farklılaştırabilir, örneğin düş kuran bir çocuk gibi, orada konaklayışım gönüllü bir hapis halini almadan, her gece bir odayı tecrübe edebilirdim; sürekli *zapping* yapmaya bırakabilirdim kendimi, öyle ki, amacım süreksizliğe karşı koymak, yani kopuşun kaçınılmazlığından öcümü almak olurdu.

Paris'in Panthéon Meydanı'ndaki Grand Hommes Oteli'nden yola çıkabilirdim ama André Breton'un pek sevdiği bu ünlü otel ne yazık ki listede yoktu. Israr etmedim çünkü en küçük içimi dökme girişimini yasak etmiştim kendime. Serüvenimin başından beri yöntem olarak belirlediğim duygusuzluktan vazgeçmek istemiyordum hiçbir şekilde. İlgisizlik ve yansızlık benim en sadık dostlarım olmalıydı. Özellikle insana ev hissi veren otellerden uzak durulmalıydı! Olanaklıysa kara örtüler bulunmalıydı odada... İki komodinin arasında kara örtülere sarınmış solgun bir figür olmalıydım ben, işte o zaman oyunu kazanırdım.

Yayıncıya yanıtım, tabii eğer benden yanıt bekliyorsa, bir aldatmaca gibi görünmemeliydi. Gerçeklikten zerre kadar uzaklaşmamalıydım. Bu dünyada, bir peri masalı yaşanmıyordu. Seçeceğim oda sessizliğimin, boşluk karşısındaki ürküntümün, her mekândaki şaşkınlığımın yankılandığı oda olabilirdi ancak. Ama ilerledikçe, kendimi doğru ifade edebiliyorsam, belleğim bana pis oyunlar oynuyordu. Bir imgenin üstüne bir başkasını koyuyor, betimleme derlememi karmakarışık hale getiriyordu. Ne zaman bir yorganın içine girdiğimi düşünsem, başka bir ülkenin başka bir odasındaki başka bir yatağın özlemine kapılıp gidiyordum. Dizi dizi sayısız otelin arasında kayboluveriyordum, bu otellerin aydınlanan pencereleri beni gecenin gittikçe daha çok kararan karasından kurtarmıyordu.

Gerçekten de kapkaranlıktı etrafım. Yüz çevrilmiş odalar listesini sürekli baştan aldığımdan su gibi biliyordum (*ezbere* yazmaya elim varmıyor, çünkü bu odaların simgelediği ayrılıkları ezberlediğimi düşünmek istemiyorum, yüreğime acı veriyor, içimdekileri açığa vuruyor bu), ne var ki hiçbiri canlanmıyordu gözümde. Birer birer yoklukla doluyorlar, ev düşüncesinin reddine kapıyorlardı kendilerini.

Tam vazgeçecektim ki, gri taş bir cephe belirdi önümde. İlk bakışta, geçmişin sözümona çekiciliğinden yararlanmaya çalışan, yapay biçimde eskitilmiş köşesinden başlayarak, bende kuşku uyandırmak için her şeye sahipti. Süslü püslü bir tabelanın üstünde, şu okunuyordu: CENTRE OTELİ, SANATÇILAR PANSİYONU. Giriş kapısından içeri daldım ve bir köpek üstüme saldırdı, kadın kapıcı gelene dek de havlaması kesilmedi. Köpeğe, ardından da en az onun kadar insanı canından bezdiren kapıcıya söz geçiremediğimden, korkumu yenmek için gözlerimi çiçeklere, tazelikleri bana gerçekdışı gelen, ateş kırmızısı, bir lale demetine diktim. Vazodaki su üstüne güneş vuran yağmur gibi ışıl ışıldı.

Birkaç saniye sonra, bir kat çıkıp gerçek boşluğun içinde buldum kendimi. Nesnelerin kayıtsızlığının içinde.

Şu durumda, otel odamı koskocaman hayal etmiştim. Kapısından girildiği anda gerçekliğin zamanı başlıyordu: Kanatlı yaratıkların dışarıya uçması için açılan bir kapıyla uzaktan yakından ilgisi yoktu... İşte şimdi kapısını açınca, neredeyse sefil bir uzamın içine tıkılıp kalmıştı odam. Hiçbir özelliği yoktu. Şu anda bunları yazarken bana gereken zamandan daha az bir sürede, her yerini dolaştım. Nasıl yaşayabilirdim orada? Yatma saati gelmemişti ve daha şimdiden sıkıntıdan iflahım kesilmişti. Tornada çekilmiş ahşap dikmeli yatağı bırakıp, felaketin boyutlarını görmek için, üstü kabarık, yarımay biçimindeki bir masanın yanındaki, sallanan yayvan koltuğa yerleştim. Dekorasyon oldukça eskiydi: yıpranmış İran halısı, yırtık pırtık perdeler, koyu kırmızı duvar kâğıdının eprimiş dokusu. Yatağın üstünde İsa'lı bir haçım bile vardı... Şurası kesindi ki, rüyalarımın odası bir dekorasyon dergisi okuru tarafından düzenlenmemişti. Bir İngiliz kırmızısı tonu egemendi içeriye. Yalnızca banyoda rastlanmıyordu bu renge: Geniş göstermek için uçuk yeşil yeğlenmişti banyoda, havluların işlemeleri ve sabun kutuları da bu renkteydi. Duvarın karşısındaki yatağın ortasında, eğri asılmış, tozlu bir taşbaskıda mandolinli bir genç kız görünüyordu. Son hız çalışan klima feci bir gürültü çıkarıyor, içerideki havayı azıcık serinletiyordu. Onu durdurup pencereyi ardına kadar açtım. Ama odadaki boğucu atmosferi dağıtacak en ufak esinti yoktu. O gün, tüm kentin üstüne aşırı sıcak, kalın bir buhar örtüsü inmişti. Aslında, bu cehennem önsezisiyle karşı karşıya bulunan şey benim bütün yaşamımdı, zamanın birdenbire durduğu gelip geçici bir odanın dört duvarı arasında sıkışıp kalmıştı.

Tek çare banyoya sığınmak diye düşündüm. Ama oranın da hali içler acısıydı. Lavabonun üstünde bir rulo tuvalet kâğıdı, küvetin içinde ve zeminde kan lekeli, koparılmış tuvalet kâğıtları. Hâlâ yapış yapıştı kan, duvarlara da sıçramıştı. Neden bilmem, o sahne aklıma annemi getirmişti. Yaralı annemi düşünmüştüm. Ona yardım etmek için hiçbir şey yapamamıştım, gerçekleri inkâr etmeyi bile becerememiştim. Onu alıp götüreceklerdi. Son kez görüyordum onu ve o tuhaf odada, kendimi de onu son kez görürken görüyordum. Son odanın, bozguna uğramış tüm aşklarımın buluşacağı acayip odanın sakini olarak, aşk düşüncesini kafamdan atamıyordum.

Küvetin içine dökülmüş şampuana bakılırsa, benden önce burada kalan kişi yeni gitmiş olsa gerekti. Her şekilde, parfüm, nem ve kan kokularının birbirine karıştığı, mide bulandırıcı bir hava vardı içeride. Her şeye karşın soğuk bir duş almak için soyundum. Tam suyu açacakken kapı çalındı. Bir havluya sarındım, ama artık çok geçti. Biri odama girmiş ve yarımay biçimindeki masanın üstüne, şampanya ve çerez taşıyan bir tepsi bırakmıştı. "Yayıncının selamlarıyla, kendisi şu anda otelde değil" diye yazıyordu tepsiye iliştirilmiş kartta. Şişeyi açmaya hazırlanıyordum ki yeniden kapı çalındı. Sertçe açtığımda kara bir elbise, beyaz bir önlük giymiş gencecik bir kızla burun buruna geldim. Gülümseyince dişleri göründü, ardından nedenini anlamadığım şekilde yüzünü buruşturdu. Odayı gece için hazırlamaya gelmişti. Otellerde hep böyle olur. İnsan yatağını yapma, gerektiğinde iç çamaşırlarını toplama, hatta, neden olmasın, klozetini temizleme işlerini, her zaman yüzünü görmediği yabancılara bırakır.

O sırada, genç kız perdeleri çekip kusursuz kılmaya çalıştığı koca bir düğüm atıyordu. Bana hiç bakmadan kendini işine vermişti, sanki ben orada yokmuşum gibi. Her şey tamamlandığında, otel yönetiminin bana iyi geceler dilediğini bildiren bir kart eşliğinde bir şeker koydu yastığımın üstüne, ardından da kapının eşiğinde bana "Kadın giysileri giymeliydiniz" deyip ortadan kayboldu.

Aslında, genç kızın kapattığı kapının ardında yok olan şey odanın ta kendisiydi, bunu fark etmekte gecikmedim. Hiç kuşku yok ki asla gitmeyeceğim oda. Parçalarını bir araya getirmek için artık çok geçti. Manyetik kartımın süresi dolmuştu kuşkusuz. Her şey ölü, taşlaşmış görünüyordu şimdi: yatak, koltuk, komodinler, mandolinli genç kız, İsa'lı haç... Tabelanın kırmızı harfleri koca koca mavi sineklerin üşüştüğü perdelerin arasından garip bir ışık veriyordu. Uykuda mutluluğu ve bir daha uyanmama umudunu bulacağım gece o gece değildi daha. Bir evim olsaydı hemen dönerdim eve. Ama saklanacak bir sığınak yoktu. Çatı katımı bile, yazması bile ne kadar üzücü, hayal etmiştim ben... Bana meydan okuma olarak yollanan sayfalardan olabildiğince çabuk kurtulmaktan ve şu okuduğunuz birkaç sayfayı kraft kâğıdından bir zarfa koyup yayıncının adresine göndermekten başka yapacak bir şeyim yoktu. Ondan sonra, en sonunda özgürlüğüme kavuşmuş halde, açık havada uyumaya gittim.

Alain VEINSTEIN

Metropol Otel, room no 1426, Hong Kong

Sert, gri plastikten, oldukça basit ama anlaşılmaz bir şekil oluşturan deliklerle kaplı bir levha sokuluyordu kilide. Kapı açıldıktan sonra, elektrik sistemini harekete geçirmek, lambalarla klimayı çalıştırmak için bu levhayı bir kontaktöre takmak gerekiyordu. Soloviyetski zaten odada olduğu için, bunu yapmama gerek kalmamıştı. İçeri girerken kimsenin beni görmediğinden emin olup kapıyı ardımdan kapattım. Dışarıda küçük bir kırmızı ışığı yakan *Do not disturb* düğmesine bastım ve Koca Ho'nun bana yarım saat önce verdiği küçük bavulu, ardından anahtarı ve talimatlarını yere koydum. Soloviyetski baygındı, giyimli bir halde iki yataktan birine, pencereye daha yakın olana uzanmıştı. Perdeler çekilmemişti. Klima maksimuma ayarlandığından, içerideki ısı on beş derece civarında olmalıydı: dışarıdaki havanın yarı sıcaklığında.

Döşeme eskimişti, hemen hemen her yeri aynı tonda, yeşil renkliydi, çürümekte olan bir muz ağacı yaprağının altını andırıyordu. Bu yeşil, yatak örtüsünün altın sarısıyla ve duvar doğramalarının maun rengiyle pek hoş olmayan bir karşıtlık oluşturuyordu. İki metrekarelik girişten bembeyaz karolu bir banyoya geçiliyordu. Havlular değiştirilmişti. Lavaboyu çevreleyen yalancı mermer yüzeyin üstüne küçük şampuan şişeleri, duş jelleri, ambalajlı iki yuvarlak sabun, plastik kutulu iki diş fırçası ve tek kullanımlık manikür malzemeleri konmuştu. Küvete bir göz attım, temizdi ama kaymaya karşı kullanılan çapraz bağlamalı paspas emayın kireç bağlamasına yol açmıştı. Hemen yanındaki klozet Soloviyetski ya da ona bekçilik eden ve Ho'nun emriyle başımdan çekilen heriflerden biri tarafından kirletilmişti. Doğru dürüst çalışmayan, etkisiz bir su çevrintisi oluşturan sifonu çektim ve tuvalet teftişimi bitirip çıktım.

Banyonun karşısında, sürmeli, gözenekli, iki kapaklı giysi dolabı kapalı duruyordu, kapaklar açıldığında dolabın içinde bir ışık yanıyordu; yalnızca ardına kadar açık bir kasa, bir ceket ve Soloviyetski'nin ayakkabıları vardı içinde. Odaya girişte sağda duran, zemindekinden daha yeşil ve daha az lekeli bir döşemelik kumaşla kaplı bavul sehpasında hiç bavul yoktu. Onun altında iki büyük konsol çekmecesi bulunuyordu, içlerinde *laundry service*'e verilecek beyaz, boş bir çantadan başka bir şey yoktu. Ondan sonra, tek parçalı, içinde bir minibar bulunan, üstü de çalışma masası olarak kullanılabilecek şekilde uzun bir mobilya başlıyordu; sandalyeye oturup bir Hong Kong Tourism Association broşürü açtım ve karşımdaki aynadan Soloviyetski'nin koma halindeki vücudunu incelemeye başladım. Sol ayağımı metalik çöp kutusuna çarptığım için, yere bir şey dökülüp dökülmediğine baktım. Ardından mobilyanın altındaki ince çekmeceleri açtım. İlkinden, içinde *room service* fiyatları, telefonun kullanma kılavuzu ve otelin lokantalarıyla barlarının, özellikle de Porto'nun (Portekiz ve Makao mutfağı), House of Tang'in (Guangdong ve Szechuan mutfağı) ve Sip-Sip Bar'ın (*happy hours* 6-8 PM) reklam broşürleri bulunan, narçiçeği rengi, yapay deriden bir dosya çıkardım. İkinci çekmecede, bir saç kurutma makinesi vardı. Minibarın üstünde bir televizyon duruyordu. Buzdolabının içindeki içki koleksiyonu eksiksizdi; soğuktan etkilenmemek ve işe koyulmak için küçük viski şişelerinden birinin kapağını açıp sek olarak bir dikişte içtim. Sonra sesini kısmadan televizyonu açtım ve odanın dosyasını incelemek üzere otelin kanalını açtım. Soloviyetski kendi adıyla kaydolmuştu (Welcome, Mr. Solovecki) burada bir gece geçirmişti bile, *check-out*'unun yarın öğleden önce yapılacağı öngörülmüştü. Rasgele kanal değiştirdim ve üç dakika boyunca bir karaoke yarışması izledim, arkasından televizyonu kapattım. Arkamda, Soloviyetski bir milim olsun kıpırdamamıştı.

Yuvarlak, alçak bir masa ve koyu yeşil, yapay deri kaplı iki koltuk Soloviyetski'nin yattığı yatakla odanın genişliği boyunca açılabilen ama sürgülü, dört yüksek dikdörtgen camlı pencere arasındaki kullanılabilir alanı dolduruyordu. Masanın üstüne, içinde yarısına kadar kaynar su bulunan bir termos, Hong Kong doları fiyatıyla bir şişe damıtılmış su (elli dolar, olacak şey değil vallahi), Metropol Otel'in armalarını taşıyan beyaz, kâğıt bardak altlıklarına ters olarak konmuş temiz iki bardak, ayrıca elektrikli bir su ısıtıcı, iki fincan ve şeker, çay, süttozu, hazır kahve poşetleri yerleştirilmişti. Kimse bunlara elini sürmemişti. Ağır sarı perdelerle uğraşmadım. Tül perdeler patavatsız bakışlardan gizliyordu içinde bulunduğumuz sahneyi. On dört kat altta, Waterloo Road'un cayır cayır yanan asfaltını sağanak bir yağmur dövüyordu.

Soloviyetski'nin, yatağının baş tarafının yanında aralık duran küçük bavulunu karıştırdım. Biri bu bavulun içine iç çamaşırları, yedek bir pantolonla bir gömlek tıkıştırma nezaketini göstermişti, olur a acilen başka bir yere ya da morga götürülmesi gerekirse şık olsun diye.

Yatakların arasında, üstünde açık bej bir telefonun durduğu, küp biçimli, açık bir komodine uzanan, dar bir koridor vardı. Küpün içinde, bir rehber, selofanla kaplanmış iki çift terlik ve bir İncil bulunuyordu. Bu küçük mobilyanın üst kısmında bir kumanda paneli, kırmızıyla 1.09 PM'i gösteren entegre çalarsaat görülüyordu. Kumanda düğmeleri altlarında Foyer, Night, Room vb. gibi ifadeler bulunan beyazımtırak elektrik anahtarlarıydı. Odanın lambalarını bu yolla açıp kapamak için yirmi saniye harcadım. Anahtarlardan teki bile mantıklı biçimde emirlerime uymuyordu.

Soloviyetski'nin boş bıraktığı yatağa oturdum. Telefonu kaptım ve numarayı çevirdim. Bir kez çaldıktan sonra, Koca Ho açtı telefonu.

"Odadayım" dedim. "Soloviyetski tepki vermiyor. Ne yedirdiniz ona?"

"Seni ilgilendirmez" dedi Koca Ho.

İç çektim. Nasıl ki Koca Ho'nun yanında, kendisine sürekli eşlik eden coşkunluk ve endişe verici yontulmamışlık karşısında olmaktan hoşlanmıyorsam, onunla telefonda konuşmaktan da hoşlanmıyordum. Ona boyun eğmek dayanılmazdı benim için. Ne var ki buna zorunluydum. Bölgede giriştiğim işlerin hiçbirinde dikiş tutturamamıştım; kazandığım azıcık para da (bu parayı umarım asla bir mahkeme karşısında anlatmak zorunda kalmayacağım yollardan kazanmıştım) Makao'daki Lisboa Casino'suna bırakmıştım; dolayısıyla Koca Ho'nun çetesiyle işbirliği yapmak elimdeki son şanstı. Ho bana Kuala Lumpur'a gitmem için bir uçak bileti vermişti, orada hâlâ birkaç arkadaşım, az bir miktar da param vardı. Çürümüş bir yük gemisine güvenlik görevlisi olarak girip, Borneo açıklarında geceleri tazyikli su makinesinin ardında, korsanların saldırısını kollayarak geçirmekten daha iyiydi bu.

"Bunun bir akademisyen olduğu insanın aklından geçmez," dedim. "Mamut dişleri ya da herhangi bir şey üstüne bilimsel bir rapor yazabilecekmiş gibi de gelmedi bana."

"Ne yapman gerektiğini biliyorsun," dedi yine Koca Ho kapatmadan önce. "Yap ve ara beni."

Omuz silktim, bavula gidip Soloviyetski'nin yatmakta olduğu yatağın kenarına oturdum. Boynuna iki iğne yaptım ve bekledim. Aslında, Soloviyetski eski SSCB'li, yaşlı bir üniversite görevlisine benziyordu tam da, önce yirmi dolarlık emekli maaşıyla geçinemediğinden eski Leningrad'ın metrosunda elden düşme kitap satmak zorunda kalmış, geçirdiği kara günlerin ardından mafyayla çalışmayı kabul etmiş, sonra da çok kısa sürede haydutların dünyasına dalmıştı, şimdiyse artık oradan çıkma şansı yoktu hiç. Yakından bakıldığında, hiç kuşkusuz Rus mafyasının kendisini Çin mafyasına sattığını öğrendiğinde ya da belki Koca Ho'nun adamları, o anki ihtiyaçlarına göre, onu bir dondurup bir ısıttıklarında çok korkmuş, yetmişlik bir adamın harap yüzüne sahipti.

Burada açıklayıcı bir parantez açmak gerekiyor. Mamutlar konusunda. Mamut dişleri.

Fildişi ticaretinin uluslararası alanda yasaklanmasından sonra, filler Kongo Havzası'nda kaçak avcılar tarafından katledilmeyi sürdürdüler. Keskin dişleri kesilip neredeyse apaçık biçimde Brazzaville, Bangui ve Hartum pazarlarında satılmaya devam edildi. Ama bunun yanı sıra ve sanki bir mucize eseriyle, fosil fildişlerinin satışında da olağanüstü bir artış gözlendi. Mamutlar yok olmakta olan türler arasında sayılmadığından, işlenmemiş ya da yontulmuş haldeki dişleri sınırlardan sorun yaşanmadan geçebiliyordu. Dükkânlarda ve atölyelerde, fildişinin yerini mamut dişi almaya başlamıştı, siyaseten doğruydu bu değişim ve yasal olarak uzmanların sertifikalarıyla destekleniyordu. "Sibiryalı" kalın derili hayvan dişlerinin Hong Kong'a girişi çeşit çeşit zincirleme ticaretle gerçekleşiyordu. Bunlardan, sonucu daha çok talihe bağlı olan ilki, gümrük görevlilerini şimdilerde kendi soyundan gelen Kongo fili dişlerinin hemen hemen tıpkısı dişlere sahip Afrika mamutu fosil yataklarının yağmalandığına inandırmaya dayanıyordu. Rusların geliştirdiği ikinci yöntemse, Sudan'dan gelen sandıkların Khabarovsk'tan geçirilmesi ve yola koyulmalarının sağlanmasıydı, kaldı ki bu kez genelde Brejnev döneminde yıldızları parlamış, ama bugün yoksul düşüp Sovyet ahlaklarının son kırıntılarını da kaybetmiş, Sibiryalı önemli paleontologlar tarafından imzalanan belgeler eşlik ediyordu sandıklara. Üçüncüsüyse, tek amaca yönelikti. Koca Ho, nasıl yaptığını bilmiyorum ama Libreville'den gelen büyük bir yüke el koymuştu. Yük gümrük görevlilerine şüpheli görünmüş, onu beklemeye almışlardı; dışarıdan alınan sekiz tonluk dişin Moukalaba (Gabon) Ulusal Parkı'nda değil, Yakutiya'da, on iki ayın on biri karla kaplı bozkırlarda bulunmuş olduğunu kanıtlayan resmi bir belge bulması için Koca Ho'nun iki günü vardı.

Benimse Soloviyetski'yi uyandırıp ona uzman sertifikasını yazdırmak ve Ho'nun Ruslardan akademisyenle birlikte satın aldığı, bavulda birkaç karışım ve şırınganın yanında getirdiğim belgelerin geri kalanını imzalatmak için iki saatim vardı.

Oda serindi. Güç kazanmak için, ikinci viskiyi de gövdeye indirdim. Minibarda ayrıca cin de vardı. Büyük yudumlarla başladım küçük şişeye, biraz durup düşündükten sonra da bitirdim.

"Ah be Soloviyetski" dedim Rusça. "Gerçek bir bilginmişsin görünen o ki, mafyanın Moskova sokaklarında 4 x 4 ciplerle caka satmadığı dönemlerde, halkı temsil etme şansın bile varmış... Pes etmenin zamanı değil Soloviyetski! Yaz şu raporu... Pek dürüstçe bir iş olmadığını biliyorum ama nesnel koşullar değişti... Burada, hiç olmazsa, yeteneklerin kabul görüyor... Bir Rus olarak konuşuyorum seninle, dobra dobra... Dönem kötü... Şimdilerde, perişan olmamak için, kirli işler çevirmek gerekiyor..."

On beş dakika boyunca, Soloviyetski'nin başında dünyadaki yeni siyasal güç dağılımları, Sovyet Birliği eskilerinin bugün içinde bulunduğu cehennem, üçüncü dünya ülkeleri, fosil hortumlular ve daha başka konular üstüne gittikçe coşan bir konuşma yaptım. Amacım ortaklaşa gerçekleştirmemiz gereken bilimsel rapor yazma işine onu psikolojik açıdan hazır etmekti. Soloviyetski koma halinden çıkmıyordu. Buz kesmişti. Köprücük kemiğinin başlangıcına bir iğne daha yapıp son küçük cin şişesini de içmeye gittim, arkasından telefona sarıldım.

"İmzaladı mı?" diye sordu Koca Ho.

"Ne imzalaması?" dedim. "Hâlâ kılını kıpırdatamıyor."

"Böyle olmamalıydı," diye göğüs geçirdi Koca Ho. "Küçük Liu bu sabah odanın temizlendiği sırada bir doktorla birlikte ona uğradı. Sorun yokmuş. Uyukluyormuş ama vücut ısısı normalmiş. Hatta ihtiyacını kendi başına gidermiş."

Dikkatlice Soloviyetski'nin yüz hatlarına baktım yeniden.

"Gitmeden önce belki de biraz fazla dondurmuşlardır onu."

Ho'nun devasa vücudunu kıpırdattığını duydum.

"Onu durmadan dondurup ısıtmak zorunda kaldılar. Başka türlü işbirliğine yanaşmıyordu. Bence, Çinlileri sevmiyor. Bu yüzden seni çağırdık. Kendini güvende hissetsin ve işbirliği yapsın diye. Yazdır ona şu sertifikayı ve belgeleri imzalat, sonra bunu votkayla kutlayın, onu yeniden uyutmak için birileri gelecek."

Birden Soloviyetski'ye acıdım, bu seçkin profesörü dondurup sonra arada sırada, temizlikçi kadın gelmeden yarım saat önce, temizlikçi sıra dışı bir şey fark etmesin diye ya da profesör bilimsel yetkesini hileli paleontoloji raporları yazarak kötü yola düşürsün diye ısıtıyorlardı. Alkolden merhamet göstermeye başlamıştım. Kongo'nun engin ormanlarında katledilen fillere de, kendime de acıyordum, iki adımda bir Sovyetler sonrası gangsterlerle karşılaşılan bu iç karartıcı dünyada, bu alçaklığın bir parçası olmak zorunda kalıyordum ben de.

"Kutlanacak bir şey yok," dedim. "Bence o ölmüş."

Koca Ho bu haberi ister istemez kabullendi.

"Kontrol et," dedi.

Soloviyetski'nin nabzına baktım. Donmuş biri için, hâlâ mücadele ediyordu, ama Hong Kong batakhanelerine düşmüş, aslında parlak bir meslek yaşamı vaat eden bir bilim adamı için bu teşhis doğruydu.

"Belgeleri başkasına imzalatmak gerekecek," dedim.

"Sen imzala," deyiverdi Koca Ho. "Sana Küçük Liu'yu yolluyorum. Sen raporu yazabilirsin."

"Mamutlar konusunda pek bilgili sayılmam," dedim.

"İkramiyeni iki katına çıkarırız," diye söz verdi Ho.

"Düşüneyim," dedim.

"Küçük Liu'yu yolluyorum sana," diye karşılık verdi Ho sabırsızlanarak.

"Peki tamam," dedim. "Ama çabuk gelin. Odada bir ölüyle olmaktan hoşlanmıyorum."

Soloviyetski'nin omzuna dokunup ayağa kalktım. Ona bir elveda demek gerekiyordu ama ne diyeceğimi bilemiyordum. Hesaplarıma göre, çete gelmeden on dakikam vardı. Cesedin karşısında saygı duruşunda bulunmaya belki yetmezdi ama asansöre binip bir taksiye atlayarak Koca Ho'dan ve onun kiralık katillerinden kaçmamı sağlayabilirdi bu süre. Konteyner gemilerinde güvenlik görevlisi olarak çalışacak adam arayan Filipinli bir şirketin adresi vardı yanımda. Soloviyetski'ye doğru son bir kez baktım ve en sonunda, deniz yoluyla Hong Kong'dan ayrılacağımı söyledim ona.

Antoine VOLODINE

Montevideo'da bir gergedan

Buyurun bakalım...

Metropol Otel 1426 numaralı odanın ziyaretçisinin binmeye hazırlandığı konteyner gemisi okunulan şu öykülerden birinin anlatıcısının, görünüşe göre sonsuza dek, saklanacağı gemiyle aynı olabilir. Aynı zamanda bu iki kişi de aynı olabilir. Yeniden mafya işi paleontolojiye dönmüş, eski bir gergedan boynuzu kaçakçısı, oldukça uygun görünüyor. Ayrıca Belle-Île' deki bir otel odasının balkonundan, ufukta görülen gemi de aynı olabilir.

Her şekilde, o zavallı Soloviyetski'nin bu kez yakasını kurtaramayacağı hissediliyor. Bardo'nun karanlık uzamında başıboş gezinecek. Karanlık Örgüt'ün özel temsilcisi Schlumm'la birlikte dayanılmaz *jukebox*'ın gurultularını dinleyecek.

Örgüt mü? Hangi Örgüt?

Kim bilir...

Eski Boşnak futbolcunun kaçırılması işini finanse eden mi? Yoksa hiç kuşkusuz kazara, *Les Inrockuptibles*[1] gazetesine gelen adsız fakstaki, nasıl yazıldığı bize hoş biçimde aktarılan şu iletide değinilen mi?

---

[1] Elbette, Jean-Philippe Toussaint'in aldığı adsız faks geliyor akla ister istemez (bkz. s. 184). (Yazarın notu)

607 numaralı oda, Sırça Palas, avenida 18 de Julio, 1210, Montevideo[1]

Bana ister inanın ister inanmayın, Sırça adını -benim için sözle anlatılamayacak bir anlamı var bu adın- taşıyan bu otelde bana Örgüt bir oda ayırttı. Bunun, buraya gelmeme neden olan Maldoror Operasyonu'nun sonucuna iyi mi, yoksa kötü mü etki edeceğini bilmiyorum. Yaldızlı, gaga biçiminde bir tokmağı olan, sarı ahşaptan giriş kapısı, solda giysi dolabının sürmeli iki ayna-kapısıyla, sağda da banyo kapısıyla sınırlı dalana açılıyor. Onun ilerisinde, yaklaşık 4,5 metreye 4,5 metrelik oda başlıyor. Duvarlarla tavan mat beyaz, tavana üç yaldızlı kenetle, buzlu camdan, mercimek biçiminde bir lamba asılmış, yeşil döşemelik halının üstünde açık mor benekler var.

Soldaki duvar boyunca, giysi dolabından sonra, krom kaplı borulardan yapılmış, siyah kayışlı bir bavul sehpası, onun ilerisinde de oturma yeri yeşil pelüş kaplı bir sandalye var. Ardından, sol kanadına Norder marka bir minibar yerleştirilmiş, açık renk ahşap bir çalışma masasının üstünde Panavox marka televizyon duruyor. Az önce betimlediğime benzer bir sandalyeye oturup yüksekliği yaklaşık 1 metre, genişliği de 75 santimetre olan, üstüne de yaldızlı, kıvrıntılı bir çubuğun ucuna, buzlu cam abajurlu bir aplik asılmış aynada yansımama bakıyorum: kot gömlek, yanmış yüz, pis sakal, sağ göz yarı kapalı ve nezleden torbalanmış. Nişan almak kolay olmayacak. Ama sonuçta, neyse ki,

---

[1] Olivier Rolin tarafından İspanyolcadan çevrildi. Metindeki bazı kuraldışılıklar (örneğin, ilk tümcede "*la Organisación* - *Organización* yerine bu şekilde yazılmış) -me ha *retenido* (*reservado* yerine) una habitación- yazarın gerçekte bir Fransız (ya da Belçikalı) olduğunu düşündürüyor. (Yazarın notu)

Glock 17 akıllı kurşunlar atıyor. Kapının karşısındaki duvarda uzunluğu yaklaşık 2,5 metre, yüksekliği de 1 metre olan, çerçeveleri fırçalanmış alüminyumdan iki sürmeli parçadan oluşan ve önünde beyaz (ya da eskiden beyaz olan) muslin tül perdelerle beyaz plastik kaplı perdeler bulunan bir açıt bulunuyor. Biraz uyumsuz ve viran bir manzara görülüyor (Rio de la Plata'nın karşı yakasından, Antonomarenko'nun bir Buenos Aires sokağına ölümcül bir dalış gerçekleştirdiği pencereden görülen manzarayı andırıyor). Duvarları sağır, üstlerine pullu krem boya atılmış bir kuyunun ötesinde, kırmızı ya da beyaz metalik korkuluklu taraça-çatılar ve rengi atmış, beton kiliseler sıralanıyor. El merdivenleri, yangın merdivenleri, borular, sarnıçlar, elektrik kabloları, iki büyük çanak anten, gergi halatlı antenler ormanı: Güzel bir oyun alanı, eğlenilebilir. Kuyunun öteki yanında, yaklaşık üç metre uzağında, gergi halatlı, parlak çelik bir baca, tüy gibi birkaç bulutun geçtiği mavi gökyüzüne dek yükseliyor. Çalışma masasının üstündeki aynaya yansıyan, borunun ayna gibi parlak, yuvarlak yüzü (umarım takip edebiliyorsunuzdur), narsistçe kendime bakıyormuşum gibi yaparak çevreyi gözlememi sağlıyor. Tabii burnumu silmek zorunda olmadığım zamanlarda. Kör olasıca nezle. Sağda[1], neredeyse sağır bir duvarın üstünde, bir pencerede kuru çamaşırlar. Arkasında kimin saklandığını biliyorum. Kafası arkadaşlarımdan birinin köpekbalığının dişleri arasında biraz fazla kalalı beri (ama bu başka bir hikâye, başka zaman anlatırım – belki) dana yumurtalığını andıran, Arjantin Donanması'nın piskopatı, oksi-asetilenli kaynak makineli Riñoncito[2]. *La*

---

[1] Aynaya bakarken sağda (demek ki aslında solda) mı demek istiyor? Yoksa gerçekten sağda mı? Bilinmiyor. (Yazarın notu)

[2] Eşit sayıda harf içeren ve *rinoceros* [Fr. *Rhinocéros*, gergedan] olduğu düşünülebilecek bir adın üstü çizilmiş. Kaldı ki, burada da üstünkörü biçimde İspanyolcaya uyarlanmış Fransızca bir sözcük söz konusu (*Rhinocéros*'un Kastilya lehçesindeki karşılığı *rinoceronte* oysa). Ne olursa olsun, *Les Inrockuptibles*, burada

Nación gazetesindeki bir ilan dikkatimi çekmişti önce. Uruguay şirketi "Global Guards" Irak'ta paralı asker olarak kullanmak üzere eski askerleri işe alacaktı. Aylık ücret: 12.000 $. Crook çok geçmeden bu ticaretin ardındaki adamın kim olduğunu söylemişti bana. Ben de ondan kuşkulanıyordum elbette.

Mavi ve yeşil çiçek motifli, içine kıtık doldurulmuş bej bir yatak örtüsüyle kaplı ikiz yataklar üçüncü duvara dayanmışlardı. İkisinin arasında, açık renk ahşaptan küçük bir mobilyanın üstünde, sarı ahşap çerçeveli bir kompozisyonda demet demet, açık mor çiçekler resmedilmişti, çiçeklerin kenarları işlemeli ve kıvırc##!©®33%&&

**+Axxxz crds5$2?¥§Brdwes51Lmoustretchblarblu

???????MamianewmsicBny

AnsonBj[Ø¶UlvCadWiµ¿?ntGarnParmntPlaz[1]

verilen iletiden iki gün sonra, Montevideo'daki *Sırça Palas*'tan yeni bir adsız faks daha aldı, Jules Supervielle'in Jean-Louis Barrault'ya adadığı bir düzyazı şiiri vardı faks belgesinde. Şiirde üzgün mizaçlı bir kişinin bir... gergedana dönüşme isteği anlatılıyordu: "Kesinkes burnumun üstünde bir boynuza, kulaklarıma kadar yarılmış bir ağza, timsah tarzı meşin gibi bir deriye ihtiyacım vardı, bununla birlikte kertenkelegillerin bana aradığım huzuru sağlamayacaklarından da emindim. Bacaklarıma ve memeli karnının üstüne sert kalkanlar gerekiyordu acilen." Sonunda da kalın derili bir memeliye dönüşüyordu, "başkalaşımım son derece başarılı görünüyordu bana; sert ve boynuzlu kafamda, açık seçik biçimde Mallarmé'nin iki dizesini duyduğumda bir başyapıta dönüşüyordu. Hiç kuşkusuz, her şey yeniden başlayacaktı." Şurasını belirtelim ki, bu şaklabanlıklar gizemli bir "Örgüt"ün ajanındansa, bir kitabın uluslararası başarısının her zaman kışkırttığı, hafif kaçık okurlardan birinin işi olabilir pekâlâ. O durumda, *Sırça Otel'de Bir Oda (devamı). 211 Numaralı Oda'nın Gizemi* adlı, "JRM Prod, editör" tarafından 2005 yılında yayımlanmış ve anlatılan işin ("son derece önemli elyazmaları"nın bir Türk'ün ya da en azından çarık giymiş bir adamın yönetimindeki komandolar tarafından çalınması) gizeminin adsız yazarın gizemiyle katmerlendiği, incecik, şık kitabın yazarı söz konusu olabilir burada. (Yazarın notu)

[1] Metnin gerisi kayıp. (Yazarın notu)

Yazarlar

Jean-Christophe BAILLY, birçok kitap yazdı; bunların aralarında denemeler ağır basıyor (yayımlanmış son denemesi: Le champ mimétique, "La Librairie du XXIe siècle", Seuil, 2005). 1992'de, Christian Bourgois Yayınları'ndan çıkan *Description d'Olonne* adlı kitabı düşsel bir kentin kılavuzuydu: Burada betimlenen oda o kentte bulunuyor.

François BON, yazar. Son yayımlanan kitabı: *Daewoo*, roman, Fayard, 2004. İnternet sitesi: www.tiers-livre.net

Geneviève BRISAC, yazar. Olivier Yayınları'ndan çıkan başlıca yapıtları: *Petite*, 1994; *Week-end de chasse à la mère*, Fémina Ödülü, 1996, (*Deniz Kıyısında Bir Haftasonu*, çev. İnci Kaplan Gül, Can Yay.); *Voir les jardins de Babylone*, 1999 (*Babil'in Asmabahçeleri*, çev. Ahmet Cemal, Can Yay.); *Les sœurs Délicata*, 2004. Aynı zamanda çağdaş yazın üstüne birçok deneme kaleme aldı, bunlardan bazıları: *Loin du paradis*, *La Marche du Cavalier* ve Agnès Desarthe'la birlikte *VW, le mélange des genres*.

Emmanuel CARRÈRE, yazar ve sinemacı. Başlıca yapıtları: *La Classe de neige*, POL, Fémina Ödülü,

1995 (*Kar Tatili*, çev. Gönül Akgerman, Doğan Kit.), *L'Adversaire*, POL, 2000 (*Rakip*, çev. Gönül AKGERMAN, Doğan Kit.); ayrıca *Retour à Kotelnitch* (2003), *La Moustache* (2005) filmlerini yönetti. Bir Philip K. Dick biyografisi yazdı: *Je suis vivants et vous êtes morts*, Seuil, 1993.

Bernard COMMENT, bir dönem Villa Médicis'de kaldı, France Culture'de kurmaca bölümünü yönettikten sonra Seuil Yayınları'nın "Fiction & Cie" dizisinin başına geçti. Alain Tanner'la birlikte dört film senaryosu yazdı, on kadar kitabı var (denemeler, öyküler, romanlar), bunların başlıcaları: *L'Ombre de mémoire*, Christian Bourgois, 1990, *Le Colloque des bustes*, Christian Bourgois, 2000 ve son yayımlanan kitabı, *Un poisson hors de l'eau*, Seuil, 2004.

Gil COURTEMANCHE, gazeteci, denemeci ve romancı. Başlıca romanları: yirmi beşten fazla dile çevrilen *Un dimanche à la piscine à Kigali*, Denoël, 2003 ve *Une belle mort*, Denoël, 2006. Montréal'de yaşıyor.

Michel DEGUY, üniversitede öğretim üyesi, yazar; ozan. *Po&sie* dergisinin yazı işleri müdürü (Belin, 27. yıl). *Temps modernes*'in üyesi. Uluslararası Felsefe Koleji yönetim kurulu başkanı. Şiirlerinin büyük bölümü Gallimard (3 cilt, Poésie dizisi/Gallimard) ve Seuil tarafından yayımlandı. Son kitapları: *Un homme de peu de foi*, Bayard, 2002 ve Galilée'den: *La Raison poétique*, 2000, *Spleen de Paris*, 2001, *Sans retour*, 2004, *Au jugé*, 2004.

Michel DEUTSCH, yazar ve sahne yönetmeni. Başlıca yapıtları: *Le théâtre et l'air du temps*, Arche Yayınları, 1999; *Skinner*, Arche Yayınları, 2001; *Météorologiques*, Christian Bourgois, 2002.

Patrick DEVILLE, romanlar yayımladı. Saint-Nazaire Yabancı Yazarlar ve Çevirmenler Evi'nin "Les Bilingues" dizisini yönetiyor. Yayımlanan son kitapları: *La tentation des armes à feu*, Seuil, 2006; *Pura Vida*, Seuil 2001; *Ces deux-là*, Minuit, 2000.

Jean ÉCHENOZ, Minuit Yayınları'ndan çıkmış on kadar kitap yazdı, başlıcaları: *Cherokee*, Médicis Ödülü, 1983; *Les Grandes Blondes*, Novembre Ödülü, 1995 (*Sarışın Bombalar*, çev. Aysel Bora, Doğan Kit.); *Je m'en vais*, Goncourt Ödülü, 1999 (*Ben Gidiyorum*, çev. Aysel Bora, Doğan Kit.) ve *Ravel*, 2006 (*Ravel*, çev. Beki Haleva, Kırmızı Yay.). Bu romanların yanı sıra, 2001'de Bayard'dan yayımlanan yeni bir Kutsal Kitap çevirisi çalışmalarına katıldı.

Mathias ENARD. Paris'te Arapça ve Farsça öğrenimi gördükten sonra, paralı askerlik, teslimatçılık, çevirmenlik, şarapçılık, eğitimcilik, gemicilik, radyo animatörlüğü ve gizli ajanlık yaptı. Actes Sud'den yayımlanan iki romanı bulunuyor: *La Perfection du tir*, 2003, Fransızca Konuşan Beş Anakara Ödülü ve *Remonter L'Orénoque*, 2005. Ayrıca Verticales Yayınları tarafından yayımlanan, Acem ve Arap şiirinin müstehcen örneklerinden oluşan bir antolojinin editörlüğünü yaptı: *Épître de la Queue*, 2004.

Arlette FARGE. Tarihçi, CNRS. Başlıca yapıtları: *Le Goût de l'archive*, 1989 ve *Le cours ordinaire des choses dans la cité du XVIIIe siècle*, 1994, "La Librairie du XXI siècle", Seuil; *La Chambre à deux lits et le cordonnier de Tel-Aviv*, "Fiction & Cie", Seuil, 2000; *Les fatigues de la guerre*, "Le Promeneur" dizisi, Gallimard, 1996; *La bracelet de parchemin. L'écrit sur soi au XVIIIe siècle*, Bayard, 2003.

Lydia FLEM. Psikanalist ve yazar. Bir düzine kadar dile çevrilen yapıtlarının başlıcaları: *Comment j'ai vidé la maison de mes parents*, 2004 ve *Panique*, 2005, "La Librairie du XXI siècle", Seuil.

Patrick GRAINVILLE *Les Flamboyants*'la Goncourt Ödülü'nü aldı; *La Main blessée* kendisinin yirminci romanı. Birçok ressam üstüne kitaplar yazdı.

Jean-Baptiste HARANG *Libération*'da gazetecilik yapıyor, aynı zamanda Grasset'den yayımlanmış beş romanı bulunuyor: *Le Contraire du coton* (1993), *Les Spaghettis d'Hitler* (1994), *Gros chagrin* (1996), *Théodore disparaît* (1998) ve *La chambre de Stella* (2006). Aynı zamanda bir yazar portreleri derlemesi kaleme aldı: *L'Art est difficile* (2004), Julliard.

François HARTOG. Tarihçi. Toplumsal Bilimler Yüksek Araştırma Okulu. Eski ve çağdaş tarihyazımı dersleri veriyor. Başlıca yapıtları: *Le XIXe siècle et l'histoire, Le cas Fustel de Coulanges*, Seuil, 2001; Présentisme *et Expériences du temps*, "La Librairie du XXIe siècle", Seuil, 2003; *Anciens, modernes, sauvages*, Galaade, 2005; *Evidence de l'histoire, Ce que voient les historiens*, Éditions de l'EHESS, 2005.

Linda LÊ, roman, deneme ve öykü yazarı. Başlıca yapıtları: *Les Trois Parques*, 1997; *Lettre morte*, 1999; *Personne*, 2002. Son yapıtları: *Le Complexe de Caliban*, 2003 ve *Conte de l'amour bifrons*, 2005. Tüm kitapları Christian Bourgois tarafından yayımlandı.

Charif MAJDALANI Beyrut'taki Saint-Joseph Üniversitesi'nin Fransız Edebiyatı Bölümü'nün başkanı. *Petit traité des mélanges* (Layali Yayınları, Beyrut, 2002) ve *Histoire de la Grande Maison* ("Fiction & Cie", Seuil, 2005) adlı kitapları bulunuyor.

Pierre MICHON'un kitapları Verdier Yayınları (*Vie de Joseph Roulin*, 2002; *La Grande Beune*, 1996; *Corps du roi*, 2002) ve Gallimard Yayınları (*Vies minuscules*, 1984; *Rimbaud le fils*, 1992) tarafından yayımlandı.

Maurice OLENDER. Tarihçi. Toplumsal Bilimler Yüksek Araştırma Okulu. *Le Genre humain* dergisini ve Seuil Yayınları'nın "La Librairie du XXIe siècle" dizisini yönetiyor. Başlıca yapıtları: *Les langues du Paradis* (1989), Points Essais, no 294, 2002 (on üç dile çevrildi) (Cennetin Dilleri, çev. Nevzat Yılmaz, Dost Kitabevi); *La chasse aux évidences. Sur quelques formes de racisme entre mythe et histoire*. 1978-2005, Paris, Galaade Yay., 2005.

Jean ROLIN, yazar ve gazeteci. Başlıca yapıtları: *La ligne de front*, Albert Londres Ödülü, Quai Voltaire, 1988 ve *L'Organisation*, Médicis Ödülü, Gallimard, 1996.

Olivier ROLIN, yazar ve editör. Başlıca yapıtları: *L'Invention du monde*, 1993; *Port-Soudan* (Fémina Ödülü, 1994) (*Port Sudan*, çev. Elif Gökteke, Dost Kitabevi), *Tigre en papier*, 2002; *Suite à l'hôtel Crystal*, 2004 (*Sırça Otel'de Bir Oda*, çev. Sertaç Canpolat, Can Yay.). Hepsi Seuil Yayınları tarafından yayımlandı.

Tiphaine SAMOYAULT. Paris VIII-Vincennes-Saint-Denis Üniversitesi. Karşılaştırmalı edebiyat dersi veriyor. Başlıca denemeleri: *Excès du roman*, Maurice Nadeau Yay., 1999; *La littérature et mémoire du présent*, Pleins feux, 2001; *La Montre cassée*, Verdier, 2004; romanları: *La Cour des Adieux*, Maurice Nadeau, 1999; *Météorologie du rêve*, "Fiction & Cie", Seuil, 2000 ve *Les Indulgences*, "Fiction & Cie", Seuil, 2003. Birçok gazete ve dergide çalışmaları yayımlandı.

Alain SATGÉ. Rouen Üniversitesi. Tiyatro, opera ve sahneleme konularında yazılar yazdı. 2003'te ilk romanı *Tu n'écriras point*'ı yayımladı ("Fiction & Cie", Seuil).

Jorge SEMPRUN, yazar. Başlıca yapıtları: *L'Ecriture ou la vie*, Gallimard, 1994, "Folio", (*Yazmak ya da Yaşamak*, çev. İsmet Birkan, Can Sanat), *Le Grand Voyage*, 1963, Gallimard (*Büyük Yolculuk*, çev. Nedim Gürsel, Can Yay.), *La deuxième mort de Ramon Mercader*, 1969, Gallimard, "Folio" (*Ramón Mercader'in İkinci Ölümü*, çev. İsmet Birkan, Can Yay.).

Jean-Philippe TOUSSAINT, sinemacı (*Monsieur, La Sévillane, La Patinoire*) ve yazar. Başlıca yapıtları: *La Salle de bain*, 1985 (*Banyo*, çev. Mustafa Balel, Ayrıntı Yay.); *Faire l'amour*, 2002; *Fuir*, Médicis Ödülü, 2005. Hepsi Minuit Yayınları tarafından yayımlandı.

Alain VEINSTEIN şu anda France-Culture'de "Surpris par la nuit" ve "Du jour au lendemain" programlarını hazırlıyor. Başlıca yapıtları: *L'Accordeur*, Calmann-Lévy, 1996, Folio 1998; *Violante*, Mercure de France, 1999, Folio 2001; *L'Intervieweur*, Calmann-Lévy, 2002 ve *La Partition*, Grasset, 2004. Ayrıca yayımladığı şiir kitaplarıyla 2001'de Mallarmé Ödülü'nü, 2003'te de Fransız Akademisi Büyük Şiir Ödülü'nü aldı.

Antoine VOLODINE, çevirmen. Kitaplarını 1985' ten beri yayımlıyor. On beş kadar kitabı bulunuyor. Seuil Yayınları, "Fiction & Cie" dizisinden çıkan başlıca kitapları: *Des anges mineurs*, 1999 (*Melekler Gezegeni*, çev. Pervin Dallıağ, Doğan Kit.); *Dondog*, 2002; *Bardo or not Bardo*, 2004; *Nos animaux préférés*, 2006.

OLIVIER ROLIN
Sırça Otel'de Bir Oda

Olivier Rolin, *Sırça Otel'de Bir Oda*'da, ortadan kaybolan ünlü bir yazarın –belki de bir casus– Paris'te bir tren istasyonunda bulunan bavulundan çıkan metinlerden oluşan çılgın bir "labirent" sunuyor okura. Buenos Aires'ten New York'a, Tokyo'dan Helsinki'ye, Port Said'den Vancouver'a, yazarın kaldığı birbirinden farklı 43 otel odasında yaşananları anlatıyor Rolin. Maceraperest yazarın karşılaştığı kişiler de en azından otel odaları kadar birbirinden farklı ve ilginç: Striptizci bir Türk, Suriyeli alkolik bir şair, dolandırıcı bir İngiliz, silah kaçakçısı bir boksör, Amerikalı bir mirasyedi, diktatörler, teröristler...

Sırça Otel'de Bir Oda, Fransız edebiyatının asi ve muzip dil ustası Rolin'in en sürükleyici yapıtlarından biri. Neşeli ve keyifli bir "ciddi" roman.